Louis le caméléon

Bibliographie d'auteure

L'art de visualiser
(coauteure avec Hélène Robitaille)
Stanké, 1995
Collection « Parcours »

L'œuf
roman
AdA, 2001

Le fil
roman
Éditions de Mortagne, 2005

Sylvie Laporte

Louis le caméléon

Données de catalogage avant publication (Canada)

Laporte, Sylvie

ISBN 978-2-89074-730-2

I. Titre.

PS8573.A638L68 200	C843'.6	C2007-940128-7
PS8573.A638L68 2007		

Édition
Les Éditions de Mortagne
Case postale 116
Boucherville (Québec)
J4B 5E6

Distribution
Tél. : 450-641-2387
Téléc. : 450-655-6092
Courriel : edm@editionsdemortagne.qc.ca

Dépôt légal
Bibliothèque nationale du Canada
Bibliothèque nationale du Québec
Bibliothèque Nationale de France
2e trimestre 2007

ISBN : 978-2-89074-730-2

1 2 3 4 5 – 07 – 11 10 09 08 07

Imprimé au Canada

Nous reconnaissons l'aide financière du gouvernement du Canada par l'entremise du Programme d'aide au développement de l'industrie de l'édition (PADIÉ) et celle du gouvernement du Québec par l'entremise de la Société de développement des entreprises culturelles (SODEC) pour nos activités d'édition. Gouvernement du Québec – Programme de crédit d'impôt pour l'édition de livres – Gestion SODEC.

À Luc
1954-1997

Remerciements

Merci à Réjean pour son indéfectible appui et pour avoir joué le rôle souvent ingrat de lecteur de première ligne.

Merci à Hélène pour ses commentaires judicieux et son amitié sans faille.

Merci également à Caroline Pellerin et Carolyn Bergeron des Éditions de Mortagne. Leurs commentaires m'ont permis de peaufiner ma démarche.

Merci enfin à tous ceux et celles qui de près ou de loin ont contribué à la réalisation de ce livre.

Avant-propos

On croit que tous ceux qui nous connaissent ont la même vision intégrale de ce que nous sommes. Un portrait détaillé et complet qui ne laisse place à aucune ambiguïté. Pourtant, chacun nous perçoit de façon différente. L'idée que les autres se font de nous est biaisée par le contexte et par leur propre prisme. La réalité s'en trouve inévitablement déformée. De plus, il faut bien admettre que nous ne dévoilons que quelques facettes de notre personnalité selon les circonstances. En fait, nous prenons autant de visages qu'il y a de gens pour nous regarder.

On croit également que les êtres humains possèdent un réseau de relations restreint qui se limite à leurs amis et leur famille immédiate. Une théorie, celle des six degrés de séparation, vient ébranler cette certitude. L'hypothèse proposée par l'écrivain hongrois Frigyes Karinthy en 1929, et qui a fait boule de neige depuis, veut que toute personne puisse être reliée à n'importe qui sur la planète à travers une chaîne de connaissances qui ne compte pas plus de cinq intermédiaires. En voici une démonstration : une de vos amies jouait avec Céline Dion quand elle était enfant. Céline Dion a rencontré Jean-Paul II lorsqu'elle a chanté pour lui en 1984. Il n'y a donc que deux personnes entre vous et le défunt pape.

Lorsqu'un événement exceptionnel survient, il se produit parfois un étrange phénomène. Nos croyances volent en éclats, lacérant au passage nos certitudes. Il en résulte alors l'histoire d'une vie aux allures de roman.

1

– Et pour le cercueil ?

– Je vous ai dit que Louis serait incinéré.

– J'avais compris, monsieur Lefrançois, répondit sèchement l'employé des pompes funèbres, froissé par le ton dur de son client.

Hubert Potvin s'accommodait pourtant assez bien du stress vécu par la famille des défunts. Il ne se formalisait pas de leurs sautes d'humeur fréquentes, de leurs crises d'angoisse et de larmes, mais il avait encore de la difficulté à composer avec l'insensibilité de certains parents, comme celui qu'il servait en ce moment. Malgré tout, il retrouva son aplomb rapidement en vrai professionnel qu'il était. Sachant son patron très pointilleux au chapitre du service à la clientèle, il ajouta, obséquieux, en époussetant la manche de son veston marine réglementaire :

– Votre frère sera incinéré tel que vous l'avez demandé. Mais pour le salon funéraire... Pour les parents, les amis qui viendront lui rendre un dernier hommage... Nous avons des modèles de cercueil très sobres que vous pouvez louer à d'excellents prix.

– Les prix ne seront jamais assez bons pour justifier une dépense dont le rendement sur l'investissement est nul ! enchaîna son interlocuteur en tirant sur sa chemise manifestement trop juste pour lui. C'est réglé. Vous l'incinérez, puis on exposera l'urne.

– Vous êtes un homme pratique, monsieur Lefrançois.

Hubert Potvin cherchait les mots qui flatteraient ce client de plus en plus haïssable.

– C'est tout à votre honneur.

– Mon frère conseillait les gens d'affaires. C'est ce qu'il aurait voulu.

Stéphane, jusque-là affalé sur sa chaise, se redressa d'un seul coup.

– Qu'est-ce que t'en sais de ce qu'il aurait voulu, p'pa ? Ça fait longtemps que tu ne lui parlais plus, à mon oncle.

– On s'est vus il y a deux mois, répliqua son père, décontenancé par l'agressivité subite avec laquelle son fils s'était exprimé.

– J'ai pas dit voir, j'ai dit parler !

– Tiens, le champion de la parole qui s'exprime ! répliqua du tac au tac Michel, incapable d'accepter que son garçon de seize ans lui fasse la leçon, cet ado à qui on devait tirer les vers du nez pour obtenir la plus petite réponse à une question, même insignifiante.

Michel regarda furtivement l'employé des pompes funèbres. À la fois gêné et fâché que cette conversation se passe devant un étranger, il esquissa un sourire en levant les yeux au ciel, une façon de dire : « Ah, ces pauvres ados ! Ce qu'ils peuvent être exaspérants pour nous les adultes qui en savons si long sur les relations humaines. » Après avoir attendu en vain un sourire complice du préposé, il se retourna vers son fils et lui dit sur un ton tranchant :

– Je connaissais mon frère. Pour lui, chaque cent devait rapporter. Il ne faisait jamais de dépense inutile.

Hubert Potvin, mal à l'aise d'être le témoin involontaire de cette prise de bec, n'avait aucune envie de se faire l'allié de monsieur Lefrançois. Toute sa sympathie allait à Stéphane, cet adolescent boutonneux au visage allongé couronné d'un épi hirsute, qu'il avait teint de couleur aubergine, et qui lui donnait l'air d'un ananas blet. Pressé d'en finir, l'employé profita du silence qui suivit pour expédier le choix de l'urne qui s'avéra sans surprise : la boîte en bois la moins chère du catalogue. Il finalisa les arrangements pour le service religieux. Cela aurait lieu le 15 juin à l'église Saint-Paul-de-la-Croix, dans le quartier Ahuntsic. Il relut à haute voix les termes du contrat, fit signer Michel Lefrançois et lui offrit une dernière fois ses condoléances. Il salua Stéphane visiblement ébranlé par le décès de son oncle et dit en lui serrant chaleureusement la main :

– Tout ira bien.

Jusque-là, Michel n'avait pas saisi l'impact qu'avait eu la mort de Louis sur son fils. Ce dernier, amorphe comme à l'accoutumée, l'air absent comme toujours, semblait surfer sur la vague du temps qui passe sans se rendre compte que l'océan s'était immobilisé et que la dernière lame venait de toucher le rivage.

Lorsque Michel vit Stéphane tenter de refouler ses larmes en balbutiant des mots de remerciement à Hubert Potvin, il en fut d'abord surpris, puis terriblement ému. Il ne pouvait supporter de voir son garçon malheureux. À rager à longueur de journée contre l'apathie de son fils, il en avait oublié que ce dernier se débattait dans un magma d'émotions qu'il cachait en se murant dans un silence qui ressemblait à s'y méprendre à de l'indifférence. Lui-même n'utilisait-il pas aussi ce stratagème de l'insensibilité pour encaisser la mort de son frère ?

Michel effleura le bras de son fils. Il esquissa un geste pour entourer son épaule, mais il se ravisa au dernier instant de peur que Stéphane ne se cabre à cause de leur relation tendue.

– Tu veux aller prendre une bouchée quelque part ? dit-il plutôt, en espérant que son garçon ne repousse pas sa tentative de rapprochement.

– Ouais. J'ai faim.

– Évidemment ! T'es un gouffre sans fond, répondit Michel plus sèchement qu'il n'aurait voulu.

Stéphane fit un pas de côté pour ne plus sentir la main de son père sur son corps. Michel regarda furtivement Hubert Potvin qui détourna le regard faisant mine de s'intéresser aux documents posés sur le bureau. Il ajouta en y mettant une emphase inappropriée :

– C'est normal ! C'est normal ! Un jeune comme toi, en pleine croissance.

Stéphane ébaucha un sourire soumis tandis que Michel boutonnait son veston gris lui pétant sur le ventre.

– Où veux-tu aller ? s'empressa-t-il d'ajouter pour masquer le malaise qui s'était installé dans la pièce.

– Sur Saint-Denis ? suggéra Stéphane tout en questionnant son père sur la pertinence de son choix.

Michel faillit lui dire qu'il détestait le Plateau parce qu'on n'y trouvait jamais d'espace pour se garer, mais il eut la bonne idée de s'abstenir. Pour une fois qu'il sortait avec son fils, il n'allait tout de même pas risquer de tout gâcher pour des considérations aussi triviales.

– Allons-y.

* *
*

– Comment est la tarte à la noix de coco aujourd'hui ?

– Délicieuse, comme toujours.

– Et les autres desserts ?

– Très bons aussi. La crème brûlée est particulièrement réussie ce midi.

– Hum...

Le client tirait sur sa moustache en parcourant à nouveau le menu des yeux.

– Ça ferait changement...

– Certainement, renchérit Anne.

Afin d'accélérer le service, elle ajouta :

– Alors, on y va pour la crème brûlée ?

– Euh... oui, avait-il fini par répondre au bout d'interminables secondes.

Quand la serveuse tourna les talons, elle entendit derrière son dos : « Non, non. Je vais prendre la tarte, en fin de compte. » Elle esquissa un sourire, fit un signe de la main pour montrer qu'elle avait compris et se dirigea vers les cuisines en se disant : « Je l'aurais parié. »

Assise au fond du bistro, Anne se remémorait ce client qui allait devenir un très bon ami au fil du temps. C'est un automne pluvieux et particulièrement glacial qui l'avait amené dans ce restaurant où elle travaillait, angle Saint-Denis et Marie-Anne. Cela faisait bien un quart d'heure qu'il attendait dehors, devant la porte. Il scrutait les voitures qui passaient et dévisageait les gens qui marchaient d'un pas rapide tout en jetant régulièrement un œil à sa montre. Il devait être dix-neuf heures. Transi, il avait fini par s'en aller pour revenir aussitôt se coller le nez contre la vitrine. Il avait entrouvert la porte, hésité, puis s'était engouffré à l'intérieur en regardant par terre. Il choisit une table au fond du resto avant de se raviser et de s'installer contre le mur, juste à côté du comptoir. Il ôta son imper, le secoua fortement, puis le déposa minutieusement sur la chaise devant lui. Il jeta un coup d'œil circulaire et prit enfin la décision d'aller s'asseoir près de la fenêtre, sans doute pour voir si la personne qui lui avait fait faux bond ne finirait pas par se pointer.

Le bistro étant presque vide, Anne avait eu tout le loisir de l'examiner. Le dos légèrement voûté, les épaules rentrées, il lissait régulièrement sa moustache qu'il avait fine et clairsemée. Ses cheveux bruns ondulés coupés courts et son visage ovale en faisaient un homme quelconque, ce genre de personne qui passe inaperçue dans la foule. Un détail pourtant l'avait rendu sympathique à ses yeux. Il portait des lunettes rondes métalliques qui lui donnaient un air intellectuel qui plaisait bien à la serveuse. C'est peut-être pour cette raison qu'Anne avait pris également le temps d'étudier le comportement de cet homme, manifestement irrésolu. Il avait pris un temps fou à consulter le menu et, lorsque son repas était arrivé, il semblait déçu.

– Quelque chose ne va pas ? demanda Anne.

– Je pensais avoir affaire à un saumon grillé. Il est poché.

– Ah ! Pourtant c'est bien écrit poché... Regardez ! dit-elle en lui tendant le menu qu'elle avait sous le bras.

– Je vois, répondit-il, l'air penaud. C'est ma faute.

– Je peux reprendre votre assiette. Mieux vaut ne pas avoir « affaire » à un poisson dont la tête ne nous revient pas. N'est-ce pas ? Choisissez autre chose, avait-elle suggéré en souriant.

– Non, non. Ça va aller.

À la fin du repas, elle avait insisté pour qu'il prenne un dessert. « Compliments de la maison ! » avait-elle décrété sans que le patron en sache rien. Elle avait dû expliquer en détail en quoi consistaient ces sacrées douceurs et attendre un long moment avant qu'il ne fixe son choix. La tarte à la noix de coco avait fini par l'emporter. « Pour créer l'illusion de me retrouver dans les Antilles », avait-il précisé en lorgnant la fenêtre dégoulinante de pluie et de frimas. Sûrement qu'il adorait la mer et les îles car chaque fois qu'il viendrait au bistro par la suite, en moyenne deux fois par semaine, il prendrait toujours cette tarte. Louis, c'était son prénom, ne démordait jamais de son habitude, à tel point qu'Anne l'avait affectueusement surnommé Coconut.

Elle aimait cette fidélité, même envers une tarte. Cela la reposait d'elle-même et de sa relation avec Benoît. Avec Coconut, on pouvait à nouveau croire à la pérennité des choses, aux habitudes sécurisantes, aux rituels réconfortants. C'est probablement pourquoi elle accepta qu'il la reconduise chez elle, un mois plus tard. Il était vingt heures environ. Il neigeait. La toute première neige de la saison. Ils étaient sortis en même temps du resto. Elle en chaussures et en imper. Lui en paletot d'hiver, bottes aux pieds.

– Où se trouve votre voiture ? lui avait-il demandé, inquiet.

– Je n'en ai pas. J'habite sur Boyer, à dix minutes d'ici.

– C'est juste assez de temps pour arriver toute mouillée à la maison. Si vous le voulez, je vous dépose.

Elle avait accepté illico, sans la moindre appréhension. Un maniaque de la tarte à la noix de coco ne saurait être bien dangereux. Elle lui avait même offert un café en arrivant à destination.

– Je ne veux pas vous déranger, avait-il répondu, intimidé.

– Vous ne me dérangez pas du tout. Mon *chum* devrait arriver d'ici une demi-heure. On l'attendra ensemble.

Il avait paru soulagé d'apprendre qu'Anne avait un copain et c'est avec plaisir qu'il avait accepté l'invitation.

Cette conversation avait eu lieu deux ans et demi plus tôt. Et voilà que Coconut venait de mourir d'un cancer généralisé. Quarante ans. Recroquevillée sur sa chaise au fond du bistro, Anne murmura pour une énième fois :

– Je n'arrive pas à le croire.

– Anne, à qui tu parles ? lui demanda Francine, une collègue de travail.

– À personne.

– T'aurais intérêt à parler à des clients. La terrasse est bondée et ta pause est terminée depuis longtemps.

– Désolée. J'étais ailleurs.

– Avec ton Coconut ? devina Francine, soudain plus conciliante.

Anne se leva en hochant la tête. Elle secoua sa crinière noire bouclée, replaça le tablier blanc ceinturant ses hanches étroites et sortit sur la terrasse en cette journée autrement belle et douce. Elle s'approcha d'une table. Un ado, il ne devait pas avoir plus de seize ou dix-sept ans, regardait le spectacle de la rue en silence. Un homme dans la quarantaine, probablement son père, consultait le menu. En apercevant la serveuse, ce dernier s'exclama :

– Enfin, quelqu'un !

Anne rougit :

– Désolée. Nous sommes débordés.

– C'est pas grave. On n'est pas pressés, dit Stéphane en jetant un coup d'œil excédé à son père après avoir lorgné le chemisier entrouvert de la serveuse.

– Vous avez fait votre choix ?

– Plusieurs fois, oui, ne put s'empêcher de décocher Michel sur un ton cassant, douloureusement efficace comme un uppercut dans l'estomac. Votre tarte à la noix de coco, elle est fraîche ?

– Il n'en reste plus.

Pas question de lui servir de cette tarte qu'il ne méritait pas.

– Bon. Gâteau au chocolat, alors. Avec un café.

– Pour moi, une tarte aux pommes et un grand verre de lait.

– Ce sera long ? demanda sèchement Michel qui regardait l'heure en se demandant s'il avait mis assez d'argent dans son parcomètre.

Anne fit un sourire crispé avec un signe de tête négatif et quitta la table rapidement en se demandant à qui cet homme détestable lui faisait penser.

– T'en fais pas pour le parco, p'pa. J'irai remettre de l'argent si on reste ici plus longtemps.

Cette considération de Stéphane remit Michel sur la bonne voie ; celle d'une relation plus harmonieuse entre un père et son fils.

– De quoi il est mort, mon oncle ?

– Je n'ai pas regardé le rapport de l'hôpital.

Michel passa la main sur son crâne pelé en enviant en silence la tignasse de son fils malgré son hideuse couleur violacée.

– Mais d'après moi, c'est le sida.

– Le sida ? Louis n'était pas gai !

– Qu'est-ce que t'en sais ?

Michel cachait mal sa nervosité.

– Et toi ? rétorqua Stéphane, agressivement incrédule.

– Depuis sa séparation d'avec Isabelle, il n'a jamais eu de blonde, répondit son père qui s'était calmé.

Il ôta son veston qu'il installa soigneusement sur le dossier de la chaise en se contorsionnant. Un bouton de chemise céda sous la pression. Michel le récupéra et le mit dans sa poche. Puis, il ajouta en tentant de cacher la peau qui débordait du vêtement éventré :

– Trois ans, c'est long si on est normalement constitué ! Je trouve ça suspect.

– Il t'a pas présenté de blonde. Il t'en a pas parlé non plus. Ça veut pas dire qu'il en avait pas.

Stéphane triturait son t-shirt noir sur lequel était inscrit en lettres blanches, *cool, man*.

– Vous étiez à couteaux tirés !

– Il était tellement maigre la dernière fois que je l'ai vu...

Michel développait son idée, les yeux dans le vague, comme si son fils n'avait jamais rien dit.

– Ça ne peut pas être autre chose.

D'aussi loin qu'il s'en souvenait, Louis avait toujours été mince et lui, dodu. Enfants, la plus grande insulte qu'ils pouvaient se lancer l'un l'autre avait rapport à leur poids respectif. Michel traitait son frère cadet d'échalote tandis que Louis rétorquait immanquablement qu'il n'était qu'un hippopotame. Ces injures fusaient le plus souvent autour de la table pendant le repas du soir en famille. La querelle se terminait toujours par un *Ça suffit !* crié par l'un des parents, suivi de *Vous êtes beaux tous les deux tels que vous êtes.*

Cela faisait bien longtemps que Michel n'avait pas visité ce souvenir. Il glissait dans son esprit comme de la soie sur la peau d'un melon. C'était à la fois doux et raboteux, exactement à l'image des relations que les deux frères avaient entretenues. Et le temps n'avait pas changé la donne. Michel était devenu un hippopotame adulte rarement sur la même longueur d'onde que son frère Louis, une échalote à maturité. Une échalote, oui. Mais un homme maigre, presque décharné, jamais !

– De toute façon, pas nécessaire d'être gai pour mourir du sida, chuchota Michel qui croisa le regard de son fils au moment où il remettait les pieds dans le présent.

– C'est la seule preuve que t'as à m'apporter ? demanda Stéphane, incrédule.

– On ne peut pas avoir laissé aller une femme comme Isabelle sans qu'il y ait anguille sous roche, rétorqua Michel à court d'arguments.

Stéphane se cabra.

– Reviens-en, d'Isabelle ! dit-il, tandis qu'Anne déposait les desserts et les breuvages sur la table.

Elle eut juste le temps d'entendre : « Change de ton ! » avant de déguerpir. Son quart était terminé. Elle se dépêcha d'enlever son tablier, son chemisier blanc et sa jupe noire de serveuse dans les toilettes réservées aux employés, pour enfiler une robe à volants couleur sable et tête de nègre, s'harmonisant parfaitement à ses yeux noisette et à sa chevelure d'ébène. Elle mit un peu de rouge sur ses pommettes saillantes et un soupçon de rose sur ses lèvres charnues. Ensuite, elle aspergea son cou d'une eau de toilette au muguet des bois et sortit en courant. Enfin libre. Benoît l'attendait au coin de la rue.

– T'es venu me chercher ?

Anne, à la fois étonnée et ravie de la présence de son copain, l'embrassa furtivement sur les lèvres.

– En quel honneur ?

– Je me suis dit que ce serait agréable de manger à une terrasse, loin d'ici.

Préoccupé par le bien-être de sa compagne, il ajouta :

– Ça te changera les idées.

– Et les tiennes ?

Benoît sourit.

– Les miennes aussi.

Une fois de plus, il admirait intérieurement la sagacité de son amie. Son pouvoir de pénétration l'avait conquis dès leur première rencontre et il ne s'était jamais démenti par la suite.

– C'est vrai que je pense beaucoup à Louis. Il était d'abord ton ami, mais je l'aimais bien, tu sais.

Anne colla son corps sur celui de Benoît, grimpa sur ses chaussures – elle mesurait un mètre soixante-cinq et lui plus d'un mètre quatre-vingt – et l'embrassa en prenant soin de bien écraser les orteils de son ami. Ce dernier rouspéta pour la forme en enlaçant sa compagne. Ils restèrent ainsi un bon moment. Anne fut la première à se dégager de l'étreinte.

– Et si on allait manger de l'antillais ? dit-elle, sourire en coin. Un poulet au lait de coco, ça te dirait ?

– Suivi d'une tarte à la noix de coco grillée ? Je suis d'accord, répondit Benoît, l'œil rieur.

Ils partirent donc tous les trois bras dessus, bras dessous, Anne, Benoît et le fantôme de Coconut, célébrer les Antilles, la noix de coco et la vie qui, malgré tout, persiste et signe.

2

– Je viens de te le dire, Anne. Je ne pourrai pas être à la réunion des copropriétaires le 14. Mon conseiller financier est décédé. Je dois aller au salon, ce soir-là.

– Ça doit te peiner beaucoup ! dit-elle à son voisin tandis qu'elle fouillait dans sa boîte aux lettres.

– Le décès de mon conseiller financier ?

– Non. Le fait d'avoir une raison pour ne pas assister à la réunion.

Anne triturait le courrier qu'elle venait de ramasser tandis qu'il jouait nerveusement avec son trousseau de clés.

– Mais... depuis quand on veille son conseiller financier ? reprit-elle.

– Depuis qu'il est mort ! répondit Denis qui ajouta dans un murmure imperceptible « Idiote ! »

« Touchée ! » se dit Anne, dont le poulet au lait de coco venait de remonter jusqu'à la gorge.

N'empêche. Elle n'y croyait pas, à ce prétexte. Son voisin venait simplement de trouver une autre façon de se défiler. Chose certaine, il se foutait éperdument du macchabée. Du macchabée et de tous les gens qui comptaient sur lui.

– Je vais te signer une procuration pour le 14. Tu voteras à ma place. Ça devrait te faire plaisir !

– Je ne veux pas de ta procuration. C'est ta présence que je veux, que tu t'impliques.

– Ce sera pour une autre fois, dit Denis, pressé d'en finir. (Il tourna la clé dans la serrure de la porte donnant sur l'escalier intérieur.) Qu'est-ce que tu veux que je te dise !

Il l'ouvrit et lança juste avant de la refermer sur lui :

– Mon conseiller financier n'a pas choisi le moment de sa mort en fonction de tes besoins. Il a toujours été conciliant, mais tout de même pas à ce point-là, rajouta Denis pour lui-même en grimpant jusqu'à son appartement, sourire aux lèvres.

Il n'était pas peu fier d'avoir ainsi fermé le clapet de sa voisine qui lui tapait affreusement sur les nerfs. Pourtant, cela n'avait pas toujours été le cas. En emménageant dans cet appartement quatre ans auparavant, il avait tout de suite été attiré par cette jeune femme délurée aux cheveux de tigresse, bien qu'elle fut un peu trop mince à son goût. Les femmes à petite poitrine et aux hanches étroites l'avaient rarement branché. Mais les choses s'étaient vite détériorées lorsque Anne était devenue la présidente du syndicat des copropriétaires. À l'entendre, elle travaillait sans relâche pour assurer la « saine gestion » des condos. Comme s'il y avait tant à faire ! Denis ne pouvait nier qu'il détestait assister aux réunions qui n'en finissaient plus, à tel point qu'il trouvait régulièrement des prétextes pour ne pas y aller. Mais cette fois, c'était vrai. Louis était mort et Denis tenait absolument à se présenter au salon funéraire le 14. Il voulait rendre un dernier hommage à un homme efficace qui l'avait toujours bien servi et... il désirait rencontrer le grand patron du bureau de son conseiller financier. Pourquoi pas ? Il n'y avait pas de mal à voir à ses intérêts. Sa PME grossissait (lui aussi, mais ça c'était une autre histoire) et dorénavant il estimait qu'un *senior* devrait le représenter.

Il venait à peine de poser sa serviette et de défaire sa cravate lorsqu'on sonna à la porte. Denis ouvrit. Il sortit sur le palier et vit Anne au bas de l'escalier intérieur, un sourire forcé accroché à son visage.

– Au lieu de me signer une procuration, pourquoi tu ne demanderais pas à Julie d'assister à la réunion ? Je suis certaine qu'elle saurait bien te représenter, dit d'un seul souffle Anne, conciliante.

– C'est mon condo. Pas celui de ma blonde, répondit Denis, agacé.

– C'est un fait. Mais vous vivez ensemble, argumenta Anne. Elle connaît bien tout le monde. Elle est au courant des dossiers. Bien plus que toi ! conclut-elle, excédée.

– La procuration sera dans ta boîte aux lettres demain matin. Salut !

Puis, il lui claqua la porte au nez.

– Macho ! siffla-t-elle entre ses dents en faisant demi-tour.

Comment Anne pouvait-elle lui faire la leçon, elle qui refusait de partager son appartement avec son *chum* ? Elle recevait même à coucher d'autres hommes. Denis en avait croisé un ou deux au petit matin alors qu'il partait travailler. Lui au moins, il avait la décence de rencontrer ses maîtresses à l'hôtel. Ou au motel, si elles étaient moches. Non ! Pas question que Julie s'immisce dans ses affaires. D'ailleurs, il était temps de remettre les pendules à l'heure avec sa blonde. Elle commençait à s'insurger parce que toutes les factures relatives à la maison étaient scrupuleusement vérifiées et les dépenses partagées au cent près. Elle rechignait parce qu'il tenait mordicus à avoir sa ligne téléphonique personnelle et qu'il refusait de lui donner le code pour accéder à sa boîte vocale. Tout devait fonctionner comme il l'entendait, sinon tout s'arrêterait là. C'était dans l'ordre des choses. Dans *son* ordre des choses. Anne aurait sa procuration, Julie n'assisterait pas à la réunion et lui irait faire de la représentation au salon funéraire.

Le décès de son conseiller financier l'avait bien secoué un peu. Le contrôle qu'on pouvait exercer sur sa vie et sur celle des autres avait des limites. Louis était mort dans la quarantaine, sans doute d'une crise cardiaque. Pour Denis, il suffisait de prévenir. Un examen médical complet lui permettrait d'aborder ses cinquante ans de façon sereine... et sécuritaire. Julie pourrait facilement lui obtenir un rendez-vous à brève échéance, grâce à ses contacts. Elle connaissait plusieurs médecins, à l'hôpital où elle travaillait. Comme elle avait la réputation d'être une infirmière compétente, on était enclin à lui accorder des faveurs. Ses seins rebondis, ses fesses charnues, sa peau d'albâtre picotée de taches de rousseur lui donnant un air espiègle, ses cheveux roux et ses trente-huit ans ne nuisaient pas non plus. Denis lui dirait de faire le nécessaire le lendemain soir, lors du souper. Mieux encore : il lui laisserait une note sur la table de cuisine.

Elle la verrait au matin, en rentrant à la maison après son quart de travail. Mieux valait battre le fer tant qu'il était chaud.

* *
*

– Il est bien bon pour donner des ordres, celui-là, avait murmuré Julie en voyant le mot sur la table.

Épuisée et stressée par une nuit remplie d'action (deux arrêts cardiaques, un arrêt respiratoire et un mort), elle froissa fébrilement le papier en serrant les dents avant de le jeter au recyclage. Elle se prépara ensuite un chocolat chaud et une tartine au beurre d'arachide, son rituel après chaque nuit de travail. Puis elle s'assit à la table de cuisine et prit machinalement le journal du matin qui y traînait. Elle parcourut des yeux la une, s'arrêtant bêtement sur la date. Mardi, 12 juin.

– Tiens ! Cela fait deux ans aujourd'hui que j'ai emménagé av... chez Denis, dit-elle à voix haute. Denis Chaumette des Pédalos Denis Chaumette incorporé !

Elle éclata de rire. Cette raison sociale lui paraissait toujours aussi ridicule qu'à sa première rencontre avec le PDG de l'entreprise. Elle avait eu envie de souligner son manque d'originalité cette fois-là, mais les heures passées en compagnie de Denis avaient été si agréables qu'elle s'était tue, ne souhaitant pas le vexer. La conversation s'était déroulée tout doucement. Un peu comme un pédalo glissant sur l'eau. L'autorité naturelle qui émanait de Denis, son assurance, sa confiance absolue quant à ses capacités et à sa réussite, tout ça l'avait impressionnée et attirée. Facile quand on doute chaque matin d'être à la hauteur de ce que les médecins et les patients attendent de soi ! Julie devait également admettre que le mètre quatre-vingt-cinq de Denis, la carrure de son visage et ses cheveux noirs aux tempes grises y comptaient aussi pour quelque chose.

« Ça, et son argent », se dit-elle, honteuse, en commençant à feuilleter le journal.

Julie n'était pas particulièrement fière d'admettre que la prospérité de Denis avait influencé sa décision de sortir avec lui. D'ailleurs, elle ne se l'était avoué que lorsqu'elle avait découvert combien il était pingre. Bien sûr, elle vivait dans un condo qu'elle n'aurait jamais eu les moyens de s'offrir, mais la mesquinerie dont il faisait preuve la mettait hors d'elle.

– Ce n'est pas que j'aie envie qu'il me fasse vivre ! lança-t-elle, étonnée d'entendre sa propre voix projetée avec autant de force.

Cette habitude qu'elle avait de soliloquer exaspérait terriblement Denis. Lasse de se faire appeler « la déficiente mentale » par son *chum*, elle en était venue à s'abstenir totalement quand il était à la maison. Seule, elle s'en donnait cependant à cœur joie. Ces conversations avec elle-même lui permettaient de jouer à la fois les rôles de public attentif et d'oratrice de talent. Cela l'avait toujours aidée à étayer sa pensée et à construire son raisonnement. Alors, aucune raison de s'en priver !

Jusque-là, Julie avait tourné machinalement les pages du journal, son regard glissant sur les photos et les articles comme une abeille se promène d'une fleur artificielle à une autre, cherchant obstinément à trouver quelque chose de réel. Elle s'arrêta tout de même sur la bande dessinée *Peanuts* qu'elle appréciait particulièrement. Elle esquissa un sourire en voyant Lucy exiger une fois de plus le paiement de la consultation demandée par Charlie Brown.

« Denis exagère. Devoir lui remettre un dollar vingt-cinq en raison d'un mauvais calcul sur un compte d'électricité, ça, je ne le supporte plus. »

Julie s'attarda ensuite à la chronique nécrologique. Elle avait pris cette habitude depuis qu'elle côtoyait les mourants et leur famille. C'était sa façon de les accompagner jusqu'à leur mise en terre. Un signe de respect envers les patients rendus en fin de parcours. Une marque de solidarité pour les parents et amis, épuisés et déboussolés.

La photo d'un homme dans la quarantaine attira son attention.

« Ah ! Cet homme... cet homme... mais... c'est Gadget ! »

Abasourdie, elle échappa sa tartine dans la tasse, ce qui éclaboussa le journal qu'elle venait d'empoigner. Tandis que du chocolat tiède dégouttait sur elle, Julie scrutait la photo, espérant s'être trompée. Aucune erreur possible ; son ami Gadget était mort.

Elle resta là, prostrée, son cerveau refusant de traiter cette information qu'il ne pouvait accepter. Son cœur aussi se mit à *pause*, l'ampleur de la catastrophe ayant paralysé sa capacité à ressentir une émotion. Tout se passait comme si la réalité de la mort de Gadget flottait dans l'espace, en périphérie de Julie, sans l'atteindre. Une seule question trouva un ancrage dans sa tête. « De quoi est-il mort ? » Incrédule, Julie parcourait le bas de vignette, les mains moites. Ça disait seulement que Louis Lefrançois était mort, sans spécifier la cause du décès. « Certainement un accident de voiture. »

La dernière fois qu'elle l'avait vu c'était environ trois mois plus tôt. Il lui avait fait admirer son nouveau bolide.

– Tu venais à peine de changer de voiture ! lui avait-elle dit, étonnée une fois de plus de la fréquence à laquelle il remplaçait ses autos.

– Non ! La dernière fois c'était il y a un an et demi. Un vieux tacot, il faut remplacer ça.

Il riait comme un enfant heureux d'avoir fait une bonne blague.

– Tu veux faire un tour ?

– Si tu insistes.

Tandis qu'elle bouclait sa ceinture, elle lui avait demandé :

– Comment se fait-il que je n'arrive pas à trouver ridicule ton obsession pour les voitures ?

– Parce que les jolies rouquines comme toi aux taches de rousseur adorent se promener dans une belle auto. Avec moi, dit-il, confiant. Ça te rappelle le bon vieux temps, non ?

– Peut-être...

C'était totalement vrai mais elle ne l'aurait pas admis aussi facilement. Admirant une fois de plus les belles mains aux doigts élancés de son copain posées sur le volant de la bagnole, elle demanda :

– Sais-tu ce que je compte faire pour tes quarante ans ?

Gadget avait démarré en y mettant un peu trop de puissance au goût de Julie.

– Je vais te louer une Lamborghini pour une semaine.

– Voyons c'est beaucoup trop cher, t'as pas idée !

– Une journée, alors.

– Demain ?

– Ton anniversaire, c'est dans quatre mois. Tu dois attendre encore un peu.

– Et si je ne peux pas attendre ? avait-il rétorqué, soudainement grave.

– Faudra bien, pourtant, avait répondu Julie, moqueuse, ignorant délibérément l'air sombre de son ami.

Gadget aurait-il eu une prémonition ? Savait-il que sa voiture serait son tombeau ?

– J'ai toujours eu le pressentiment qu'il mourrait de cette façon, chuchota Julie en secouant la tête.

Déjà, au collège, Gadget nourrissait une véritable passion pour les voitures. La sienne n'avait rien d'un bolide, mais il entretenait et bichonnait son tacot comme s'il allait prendre part à une course sur le circuit Gilles-Villeneuve. Julie se moquait allègrement de la ferveur de son ami à laver et astiquer sa vieille Mustang. Elle le faisait avec d'autant plus de détachement que les automobiles ne l'intéressaient pas. Seule la liberté qu'elles procuraient lui faisait envie. C'est d'ailleurs ce qui avait rapproché ces deux étudiants, de parfaits étrangers au début de leur cours collégial. Le besoin impérieux de brasser la cage du quotidien platement prévisible avait cimenté leur amitié. Toujours prêts à faire une virée en voiture, ils avaient sillonné les routes du Québec à la recherche de paysages différents et de nouveaux visages. Cette soif d'images fraîches à engranger dans leur mémoire les avait menés dans les Laurentides, en Estrie, en Outaouais... Une fois, ils avaient même fait le trajet Montréal-Charlevoix-Montréal dans la même journée, sans doute pour assouvir le désir irrépressible de Gadget de prendre le volant et le besoin de Julie, non moins irrésistible, de fuir le quotidien périssant d'ennui.

Gadget était entré aux HEC tandis que Julie terminait son cours de technique infirmière au cégep. Ils se voyaient encore toutes les semaines. Les nouveaux cercles d'amis, les intérêts professionnels divergents et la maturité, qui commençait à sculpter leur existence bien malgré eux, espacèrent leurs rencontres. Ils se virent aux quinze jours, puis aux mois. Lorsque leur vie respective fut sur les rails avec boulot et amoureux sérieux, ils planifièrent leurs rendez-vous en tenant compte de leur agenda serré. C'en était fini des retrouvailles qui allaient de soi. Il fallait dorénavant les programmer en trouvant un prétexte pour s'assurer qu'elles aient lieu : les anniversaires par exemple, ou la période des fêtes de fin d'année, ou bien encore l'arrivée de l'été. Ils se rencontraient toujours dans des endroits neutres, loin de leur environnement respectif. Il y a de ces amitiés qui perdurent à la seule et unique condition que chacun des amis ne s'immisce jamais dans le quotidien de l'autre. Le passé idéal, du moins dans les souvenirs, a parfois du mal à être confronté aux imperfections du présent.

Toujours assise à la table de cuisine, Julie émergeait lentement de cette longue randonnée dans son passé. C'est à ce moment que les larmes commencèrent à couler sur ses taches de rousseur affadies par la peine. Elles coulèrent d'abord tout doucement, comme une balade en voiture sur un chemin de terre au milieu des coquelicots. Ensuite, elles se mirent à glisser plus rapidement, de la même façon qu'on accélère en revenant sur la route asphaltée. Puis, ce fut le torrent qu'elle ne put endiguer tel un dérapage lorsqu'on prend une courbe à trop grande vitesse. Tout son corps tressautait comme une auto de course qui encaisse durement chaque bosse jalonnant son parcours. Tant de souvenirs se pressaient dans sa tête et plus aucun avenir pour les partager ! Julie pleurait plus que le décès de Gadget. Elle pleurait la mort de sa jeunesse.

Comme tout passe, elle se calma enfin. Défaite, complètement épuisée par sa nuit de travail et le choc de cette terrible nouvelle, elle se traîna jusqu'au lit et s'y laissa tomber. Elle ferma les yeux et murmura juste avant de s'endormir :

– Pas question que j'aille te rendre visite au salon. Un cercueil, c'est une auto beaucoup trop lente pour toi. Je ne te ferai pas cet affront.

3

– On en reparlera ce soir.

Isabelle triturait le fil du téléphone en regardant dans la petite salle où deux clients attendaient depuis vingt minutes. Les derniers préparatifs du voyage en Inde de monsieur Falardeau s'étaient révélés plus longs que prévu. Les ashrams sont bondés à cette période de l'année. Une retraite spirituelle sous l'égide d'un maître, ça se planifie longtemps à l'avance.

– Yvon...

Elle se leva en tirant sur sa jupe cintrée bleu pervenche.

– Je te le répète : je ne pense pas que ce soit une bonne idée que j'aille au salon funéraire.

Elle releva le col de son chemisier de soie lilas et replaça fébrilement les chaises de son bureau.

– Surtout pas avec toi.

Pourquoi les clients voulaient-ils la voir, elle ? Thérèse ou Frédéric feraient aussi bien le travail. Et ils se tournaient les pouces. C'était flatteur, sans aucun doute. Sa réputation d'agent de voyages compétent lui assurait une grosse clientèle. Tant mieux, car il y avait à peine deux ans qu'elle était lancée en affaires. Mais aujourd'hui, elle s'en fichait éperdument.

– Il faut que je te laisse. Je serai chez toi à dix-neuf heures.

Isabelle raccrocha et prit une grande inspiration. Puis, elle ferma la porte de son bureau avant de se planter devant l'immense miroir accroché au mur. Elle passa la main dans ses cheveux blond paille pour dégager la mèche qui tombait dans ses yeux d'un bleu lavande parfaitement assorti à ses vêtements. Elle remit ensuite du rose sur ses lèvres aux commissures relevées et sur son visage à l'ovale parfait. Elle se composa enfin un air avenant, ouvrit la porte et se dirigea vers la salle d'attente d'un pas assuré.

– Monsieur Hubert Potvin et madame... Potvin, je présume ?

Le couple fit un petit signe de tête affirmatif.

– Si vous voulez me suivre.

Ils n'avaient certainement jamais voyagé, ces deux-là. Lui avec son complet marine de qualité médiocre, sa cravate brune zébrée de beige et ses chaussures vernies noires. Elle avec sa jupe rose fanée, son chemisier gris souris trop petit pour sa poitrine lourde et plantureuse et sa veste bleu royal coupée dans un tissu indéformable, insalissable, inclassable.

– Que puis-je faire pour vous ?

– On veut aller voir le pays de nos ancêtres : la France, balbutia nerveusement la dame, le regard allumé.

– Ça fait longtemps qu'on y pense, mais là on est décidés, ajouta le mari aussi fébrile que sa femme. Mon beau-frère est mort il y a un mois. Il avait mon âge. Plus question de remettre le voyage.

– Je comprends... La mort fait réfléchir, murmura Isabelle, bien plus pour elle-même que pour partager une opinion avec ses clients.

– La mort d'un proche, oui.

Monsieur Potvin parlait avec autorité.

– Je suis directeur de funérailles. Je n'ai jamais ressenti l'urgence de réaliser mes rêves parce que des étrangers mouraient. D'autant que tous les morts ne sont pas pleurés. Encore hier – il lissait le pli de son pantalon en parlant –, j'ai vu un homme pressé d'expédier le rituel mortuaire de son frère tandis que son fils...

– C'est bien dommage tout ça..., coupa Isabelle.

Le décès de Louis lui suffisait amplement. Elle n'avait nullement besoin d'écouter les histoires de macchabées de ses clients. Elle radoucit le ton pour demander :

– Quand souhaitez-vous partir ?

– Je prends mes vacances en septembre, répondit Hubert Potvin en rentrant les épaules, honteux soudain d'avoir déblatéré contre un client.

S'être fait interrompre le ramenait à l'ordre et de belle façon. Isabelle, inconsciente du malaise qu'avait provoqué son manque d'empathie, se tourna vers la dame pour connaître ses disponibilités. Cette dernière esquissa un geste vague de la main. Puis elle inspira, se préparant à donner une réponse.

– Georgette ne travaille pas, rétorqua son mari, trop heureux de faire oublier son écart de conduite en donnant l'information désirée.

« Heureuse femme ! » pensa Isabelle qui commençait à en avoir assez de ce métier bouffeur de temps et d'énergie. Puis elle fit son travail de façon consciencieuse et avec beaucoup de gentillesse. Désiraient-ils voyager en groupe ou en couple ? Quelles régions de la France les attiraient le plus ? De quel budget disposaient-ils ? Après une heure de discussion et de recherches, elle leur avait concocté un itinéraire qui leur en mettrait plein la vue et dont le souvenir demeurerait inoubliable.

– Dès que j'ai les billets, je vous appelle, leur dit-elle en les accompagnant à la porte.

Ils quittèrent l'agence, enchantés et très excités. Ils étaient beaux à voir malgré leurs vêtements de péquenauds, les yeux brillants, le pas alerte, le cœur guilleret. Cela changeait de rencontrer des gens pas blasés pour deux sous. Des gens qui avaient tout à découvrir. Des gens qui ne voyageaient pas pour fuir une situation ou quelqu'un, comme elle-même l'avait fait la dernière fois, après sa rencontre avec Yvon.

Il s'était présenté à l'agence il y avait environ six mois de cela. Début de décembre plus précisément. Thérèse était sortie luncher tandis que Frédéric se disputait au téléphone avec sa blonde. Isabelle termina ce qu'elle avait commencé :

des mots croisés hyper faciles. Elle jeta ensuite un coup d'œil furtif dans le miroir pour s'assurer de l'impeccabilité de sa tenue, puis alla accueillir l'homme occupé à regarder les destinations soleil épinglées au mur. Lorsqu'il se retourna, leurs yeux s'écarquillèrent.

Après un bref moment de flottement, Yvon avait soufflé :

– Ah ben, dis donc, si je m'attendais à te voir ici !

Sous le choc, Isabelle ne put qu'articuler :

– Parmi toutes les agences de voyages de la ville, il fallait que vous tombiez sur la mienne !

– Il faut croire que le hasard fait bien les choses, avait-il répondu en souriant de ses cent deux dents éclatantes.

Isabelle avait avancé la main. Yvon, la joue. Elle avait alors offert sa joue tandis qu'il tendait la main. Ils stoppèrent au même moment leur élan, embarrassés. Puis ils rirent de ce quiproquo et réussirent à se faire la bise.

– Ça me fait rudement plaisir de vous revoir, lui dit-elle, en retenant les mains d'Yvon dans les siennes.

Elle avait toujours apprécié le père de son ex, un homme jovial qui portait à merveille la soixantaine.

– Moi aussi, répondit-il, en serrant très fort les mains d'Isabelle, perdu dans le champ de lavande de ses yeux.

Plusieurs secondes s'écoulèrent. Juste assez pour qu'un malaise s'installe. Isabelle le chassa en riant pendant qu'elle récupérait ses mains.

– Allons dans mon bureau.

– Quelle bonne idée, s'empressa-t-il d'ajouter en emboîtant le pas.

Il marchait juste assez près de la jeune femme pour recevoir les effluves subtils de son parfum aux notes poudrées mais tout de même assez loin pour être en mesure d'admirer son corps aux courbes flatteuses : un port de tête majestueux, une taille fine, des hanches et des fesses sculptées sans être soulignées à l'excès, des jambes sans fin au galbe parfait...

Une fois assis, elle lui offrit un café.

– Jamais. Ça tache les dents.

– C'est vrai. J'avais oublié, dit-elle, passant la langue sur les siennes. Vous parliez de fermer votre clinique. C'est fait ? enchaîna-t-elle.

– Tel que tu me vois, je suis un dentiste à la retraite. Et content de l'être.

Il resplendissait. Son anorak jaune kodak et son pull rouge sur un pantalon de velours côtelé noir lui donnaient vraiment bonne mine. Et c'était sans compter ses dents d'un blanc immaculé, ses cheveux argentés et ses yeux gris pétillants.

– J'ai besoin de fuir le temps des fêtes en famille.

À ces mots, une multitude de souvenirs refirent surface dans la tête d'Isabelle. Michel se croyant obligé de parler de tous les nouveaux médicaments ayant un semblant de rapport avec la dentisterie pour épater son père et prouver qu'il est un bon pharmacien... Sa femme, Nancy, moussant les qualités de son mari pendant un moment pour mieux l'écraser l'instant d'après... Stéphane qui ne cache pas son hostilité envers Isabelle, bien qu'elle soit la femme de son oncle Louis... Et Louis... Louis qui ne dit rien, recroquevillé dans son coin, attendant que le calvaire cesse.

– Je veux aller au Mexique. Pourrais-tu me trouver une place ?

– Comment ?

Cette question ramena Isabelle à l'agence en ce jour de décembre, mais juste un peu trop tard. Sans doute un problème de décalage horaire...

Yvon répéta la question d'un air entendu.

– Je devrais pouvoir faire quelque chose... Je partirais bien moi aussi..., dit-elle nonchalamment en lançant une recherche. Toute seule dans ma maison de Greenfield Park, les fêtes sont tristounettes.

– Viens avec moi !

– Qu'est-ce que vous racontez là ? répondit un peu sèchement Isabelle, éberluée par la proposition.

– Pourquoi pas ? renchérit Yvon, parfaitement calme et sûr de lui. Il est plus agréable de partir à deux que tout seul. On loue des chambres séparées et on partage certaines activités ensemble. C'est tout.

– Mais... Vous êtes mon beau-père !

– Ton ex-beau-père.

Strictement exact, depuis un an. Ce divorce changeait quand même la donne. D'autant plus que cela faisait déjà trois ans qu'Isabelle vivait séparée de Louis. À cela il fallait ajouter que la femme d'Yvon, la mère de son ex, était morte voilà cinq ans.

– Qu'est-ce que Louis en penserait ?

– Je ne lui en parlerais pas.

Constatant l'étonnement d'Isabelle, il ajouta :

– En quoi est-ce que ça le regarde ?

Il avait peut-être raison. Tandis qu'elle jonglait avec cette proposition *a priori* saugrenue, apparurent à l'écran diverses options. Elle en éplucha le contenu.

– Je vois ici un hôtel quatre étoiles situé sur la plage. Départ le 23 décembre. Retour le 5 janvier.

Elle le regarda et lui dit, fière de son coup :

– Mes collègues y ont déjà séjourné. C'est un excellent choix. Je vous conseille de sauter sur l'occasion.

– S'il y a deux chambres disponibles, certainement.

Mal à l'aise, Isabelle avait répondu en jetant un œil sur l'écran :

– Je préférerais que vous décidiez pour vous-même. Je serais très embarrassée si votre choix se faisait en fonction de moi. Vous comprenez ?

– Bien sûr, dit-il, un peu déçu. Puis, à nouveau souriant : Réserve-moi la chambre. Cet endroit est sûrement idéal !

Pendant qu'Isabelle s'exécutait, Yvon lui demanda :

– Promets-moi une chose.

– Tout dépend quoi, répondit-elle en riant.

– Réfléchis à ma proposition.

– Elle me semble bien surréaliste !

– Hors des sentiers battus, tout au plus.

Ses yeux gris la fixaient intensément.

– Alors, tu promets ?

– D'accord.

Il prit un bout de papier sur le bureau d'Isabelle et griffonna un numéro de téléphone.

– Appelle-moi quand tu auras fait ton choix.

Deux jours plus tard, elle acceptait d'aller faire un tour hors des chemins balisés en s'assurant auparavant qu'il n'avait pas changé d'avis.

– Je suis toujours partant. À une condition.

– Laquelle ? avait-elle demandé, étonnée qu'Yvon puisse avoir une exigence.

– Que tu me tutoies.

Cette condition semblait facile à respecter. Malgré tout, Isabelle s'empêtra dans le *vous* jusqu'à ce qu'ils fassent l'amour, le soir du Nouvel An.

Ils s'étaient donné rendez-vous à dix-neuf heures trente au bar de la terrasse de l'hôtel après une journée où chacun avait vaqué à ses occupations préférées : Yvon, la pêche en haute mer, Isabelle, la lecture d'une énième biographie de Marilyn Monroe, étendue sur un transat à l'ombre d'un cocotier. Elle ne s'exposait jamais au soleil, fuyant bien plus les rides qu'il pouvait générer que le cancer de la peau dont il était de plus en plus souvent responsable. De toute façon, elle n'enviait pas ces femmes au bronzage accentué, d'une vulgarité qu'elle qualifiait de repoussante. Elle avait beau s'enduire de crème protectrice, porter un chapeau à large bord et rechercher l'ombre, il n'en demeurait pas moins qu'elle finissait toujours par avoir un hâle doré que plusieurs lui enviaient. Quant aux ridules, elles commençaient malgré tout à se dessiner aux coins de ses yeux et aux commissures de ses lèvres à l'aube de la quarantaine.

C'est vers seize heures qu'Isabelle avait commencé le rituel de sa mise en beauté réservé aux grands soirs. Elle savait qu'elle en aurait certainement pour deux bonnes heures et en salivait de plaisir rien qu'à y penser. D'abord un massage, cette fois-ci sur la plage. Ensuite, un masque apposé sur les cheveux et le visage ainsi qu'une crème désincrustante badigeonnée sur tout le corps. Puis, le gant de crin sous la douche suivi d'un lavage avec une savonnette de son parfumeur préféré, Annick Goutal, aux arômes prononcés d'agrumes.

Une fois sortie de la salle de bain, Isabelle enfila une robe de lin bleu ciel sans manches, très cintrée, s'arrêtant aux genoux. À première vue bien sage, cette petite robe à la Jackie O ménageait à l'arrière un décolleté vertigineux plongeant jusqu'au bas des reins. Puis, elle releva ses cheveux en chignon savamment défait, histoire de dégager ce dos et cette nuque d'une sensualité élégante. Seules quelques mèches blondes couraient le long de son cou et de son visage. Vint ensuite le maquillage. La sobriété étant de mise, elle opta pour un mascara bleu marine allongeant les cils ainsi qu'une ombre à paupières sable à peine perceptible mettant tout de même en valeur ses yeux lavande.

Après avoir chaussé ses escarpins noirs, Isabelle se regarda une dernière fois dans la glace avant de quitter la pièce. La femme séduisante qu'elle y vit la rassura. Elle pourrait une fois de plus gagner au jeu de la séduction en sentant le regard admiratif des hommes, tous les hommes, glissant sur son visage et son corps telle une caresse. Et c'est exactement ce qui se produisit lorsqu'elle se dirigea vers le tabouret où était assis Yvon, près du bar.

– Tu es belle à couper le souffle, lui murmura ce dernier, incapable ce soir-là de cacher son attirance pour elle.

– Vous... Tu n'es pas mal non plus, répondit-elle en riant.

C'était frappant ! Yvon n'avait jamais eu aussi fière allure. Son pantalon de toile blanc, son t-shirt de soie de la même couleur, son veston anthracite aux fines rayures gris souris, du même gris que ses yeux, ses cheveux poivre et sel coupés en brosse et bien sûr ses dents blanches au milieu d'un visage bronzé, fraîchement rasé... À l'évidence, ils formaient un beau couple. Cela se voyait dans les yeux de la galerie qui les épiait.

Après quelques apéros sirotés au rythme d'une salsa jazzée, ils passèrent à table sur la terrasse au bord de la mer.

– On est loin du Nouvel An en famille ! se réjouit Yvon, ensorcelé autant par le roulis des vagues que par les champs de lavande oscillant dans les yeux de sa compagne, à la lueur d'une bougie posée sur la nappe blanche.

Isabelle esquissa un sourire, mal à l'aise.

– Il y a quelque chose qui ne va pas ? demanda Yvon, inquiet, en versant le vin.

– Je préférerais qu'on ne parle pas de notre passé familial. J'imagine que vous... que tu comprends pourquoi ?

– Bien sûr. Ce que je suis bête.

Il fit une pause avant d'ajouter, sur la pointe des pieds :

– Tu regrettes ton divorce ?

– Non, non. Pas du tout.

Sa réponse avait des accents de vérité qui plurent à Yvon.

– Seulement... Vous avez été mon beau-père pendant dix ans.

– Tu.

– Comment ?

– Tu as été mon beau-père.

– On ne perd pas de vieilles habitudes en une semaine, plaida-t-elle, en souriant.

– Et quand y aura-t-il prescription ? susurra Yvon, charmeur, en tendant un verre de vin à Isabelle. L'année prochaine ? Ça me semble une période tampon suffisante. Qu'en penses-tu ?

– C'est dans moins de deux heures ! s'esclaffa-t-elle en prenant la coupe.

Yvon leva son verre :

– Buvons au présent.

– Au présent, répéta Isabelle en choquant son verre contre celui de son compagnon aux redoutables talents de séducteur. Et à l'année prochaine.

Ils firent honneur au vin, au repas de fruits de mer ainsi qu'au champagne offert à minuit alors qu'un feu d'artifice pétaradait sur la plage. Ils s'élancèrent ensuite sur la piste, bien plus pour faire perdurer la soirée que pour danser au rythme de la musique latino. Isabelle prit tout de même plaisir à ondoyer des hanches, sensuelle comme une liane enlaçant un tronc d'arbre. Tournant sur elle-même, elle offrait au regard d'Yvon son dos dénudé, le creux de ses reins formant un calice où des perles de sueur venaient se déposer.

Lorsque la musique se tut et que les serveurs commencèrent à débarrasser les tables, Yvon escorta Isabelle jusque dans sa chambre.

– Je peux t'embrasser pour te souhaiter la Bonne Année ? demanda Yvon, replaçant délicatement une mèche de cheveux blonds tombant dans les yeux de sa compagne.

– Il me semble que tu m'as déjà donné un baiser à minuit, murmura Isabelle en tendant déjà les lèvres.

– Oh, celui-là !

Yvon caressa du bout des doigts cette bouche offerte.

– C'était pour dire au revoir à l'année moribonde.

Il effleura de ses lèvres, celles d'Isabelle.

– La nouvelle mérite mieux qu'un baiser sur la joue. Tu ne trouves pas ?

Pour toute réponse, Isabelle ouvrit la bouche. Yvon y engouffra sa langue en enlaçant son corps qui tremblait. Elle mit ses bras autour du cou de son partenaire et colla ses seins sur son torse, les tétons pointant sous sa robe. Il plongea les mains dans le décolleté, empoigna ses fesses fermement et plaqua son sexe contre le sien. Elle enroula une jambe autour du corps d'Yvon et se frotta contre lui langoureusement. Puis, elle défit la braguette de son compagnon tandis qu'il écartait fébrilement le slip d'Isabelle. Il la prit debout, sans autres préliminaires. Elle jouit bruyamment, honteuse de penser que le père de son ex savait mieux y faire que lui. Quant à Yvon, il cacha à sa compagne la fatigue engendrée par l'énergie qu'il venait de déployer, jubilant tout de même à l'idée d'avoir renoué avec l'excitation brute de sa jeunesse.

Le responsable de cette étreinte ? L'alcool, en partie. La chaleur aussi. L'insouciance générée par la fête, très probablement. Le désir, sans l'ombre d'un doute. Mais aussi l'envie de former un couple pour quelques heures, quelques jours tout au plus.

Mais voilà : au retour, le couple avait perduré.

* *
*

– Merci pour le portefeuille.

– C'est grâce à Francine, dit Anne en désignant sa collègue. Elle l'a trouvé sur la table tout de suite après que vous l'ayez quittée en coup de vent, hier après-midi.

– Mon père venait de réaliser que le temps de parco était écoulé depuis quinze minutes, répondit Stéphane en s'excusant.

– Et c'est son fils qui vient récupérer le trésor ! Ton père est un homme chanceux d'avoir un garçon aussi serviable, ajouta-t-elle en riant.

Gêné, Stéphane glissa en regardant par terre :

– Il m'a promis un *vingt* si je venais le chercher.

– Pas mal !

– Ouais... Surtout qu'il est rat, dit-il dans un murmure quasi inaudible qu'Anne feignit de ne pas avoir entendu.

Ce jeune paraissait si perturbé, si mal dans sa peau. À première vue, rien de spécial chez un ado. Sauf pour la tristesse qui assombrissait son regard et la lassitude qui tirait ses traits malmenés par l'acné. En regardant ce garçon, elle avait l'impression de se voir elle-même, alourdie par le deuil de son ami. C'est pourquoi Anne décida de devancer sa pause et de lui offrir un café et un dessert. La ruée du midi étant passée, cela ne causait pas de problème. Stéphane hésita. Un instant plus tard, il était assis à une table.

– Je préférerais un verre de lait.

– Bien reçu. Et comme dessert ?

– Il vous reste de la tarte à la noix de coco, aujourd'hui ?

Ce jeune lui plaisait bien. Elle lui en coupa donc une grosse part et la lui servit nappée de crème chantilly. Assise devant lui, un bol de café au lait entre les mains, Anne le regarda l'enfourner en faisant passer ses énormes bouchées avec une rasade de lait.

– J'avais un ami qui s'appelait Coconut, dit-elle, nostalgique, en replaçant la broche qui harnachait sa tignasse noire rebelle.

– Il n'est plus votre ami ?

– Non. Il est mort.

– Pas rap' !

Anne avait toujours cru que la mort effaçait tout. Aussi net qu'une tache qui disparaît à l'eau de Javel. Mais la vie n'est pas un vêtement et les relations qu'on tisse ne sont pas des taches. Ce sont des rides peut-être, mais de belles rides d'expressions de sourire, de rire. Parfois de tristesse, de peur ou d'amertume. Et aucun *lifting* n'arriverait à les faire disparaître.

Stéphane avait cessé de manger. Anne hésita, puis dit dans un souffle :

– J'ai un ami qui s'appelle Coconut. Il est mort et j'ai beaucoup de peine.

– Mon oncle aussi est mort.

Touchée par le deuil que vivait cet ado, Anne s'assit sur le bout de la chaise, plus attentive. Enhardi par l'écoute de la jeune femme, Stéphane se confia :

– C'est le bonhomme le plus *cool* que je connaisse !

Anne se demanda un instant à quoi pouvait bien ressembler un homme qualifié de *cool* par un jeune à la crête aubergine.

– Je suis le seul à avoir de la peine dans la famille, poursuivit Stéphane, accablé. Mon père, lui, il s'en fout de la mort de son frère.

Ils se regardèrent sans un mot, leurs yeux embués par les larmes retenues au prix de gros efforts. Anne fut la première à se ressaisir.

– Pour un homme qui s'en fout, ton père est drôlement perturbé.

– Comment ça ?

– Et le portefeuille qu'il a oublié sur la table ? Pour un homme près de ses sous, c'est étonnant, non ?

Stéphane n'avait pas interprété l'incident sous cet angle. D'après lui, Michel craignait une contravention. C'était pour cette seule raison qu'il avait décampé en oubliant son argent sur la table. Pour ça et pour éviter une vraie discussion avec son fils. Pour éviter un moment d'intimité avec lui. Quand avaient-ils partagé une activité pour la dernière fois ? C'est Louis qui se procurait toujours les meilleurs billets pour amener Stéphane au soccer, au football, au hockey. C'est encore son oncle qui lui achetait des casquettes de ses équipes préférées parce que lui seul savait que Stéphane les collectionnait.

L'adolescent empoigna sa fourchette avec rage en pensant à son père. Il finit son assiette en s'acharnant sur les dernières miettes. « Comme le faisait Coconut », se dit Anne, tandis qu'elle grattait son bol de café avec une cuillère pour récupérer la mousse qui s'y accrochait. Elle perçut le changement d'humeur de son invité. Pour faire diversion elle demanda :

– Il aimait les desserts, ton oncle ?

– J'sais pas !

Stéphane avait répondu brusquement comme il l'aurait fait avec son père. Il se ravisa lorsqu'il vit Anne ramasser rapidement le couvert en se levant.

– Quand on allait au stade, on mangeait des hot dogs et on buvait de la bière. Notre dessert, c'était la poutine *western*.

– Coconut était un peu plus raffiné que ça, dit-elle, souriante, en pensant aux formidables gueuletons qu'ils avaient partagés ensemble. Mais ça ne fait rien. Il semblait... il semble bien sympathique ton oncle.

Stéphane acquiesça, une lueur de fierté dans les yeux.

Anne reprit son travail, Stéphane son vélo. Ils ne s'étaient pas présentés l'un à l'autre. Un oubli, sans doute. Mais cela importait peu, Louis et Coconut avaient fait connaissance et ils s'entendaient à merveille.

* *
*

Dix-huit heures et Isabelle était déjà assise sur la terrasse. Étendue serait le terme approprié. Étendue sur un transat, les manches de son chemisier lilas retroussées, un verre de sangria à la main. Son client avait annulé leur rendez-vous à la dernière minute. Il lui avait signalé que la préparation du voyage en Chine devrait attendre puisqu'un décès venait de se produire dans sa famille.

Décidément la mort la pourchassait depuis quelques jours ! Elle secoua la tête. Vaine tentative pour dissiper les idées noires qui la tourmentaient. Il faudrait bien qu'elle explique à Yvon la raison pour laquelle elle ne voulait pas l'accompagner au salon funéraire mais, pour le moment, elle choisissait de déguster son apéro en profitant de cette terrasse spacieuse, magnifiquement aménagée, avec vue sur le canal de Lachine et le pont Charlevoix. En s'étirant le cou, on pouvait même apercevoir la tour du marché Atwater. Yvon était rudement chanceux de vivre dans ce loft montréalais.

Pour sa part, comment avait-elle pu acheter ce bungalow à Greenfield Park ! Il ne répondait absolument pas à ses besoins ; trop de pièces, trop de terrain, une piscine creusée pénible à entretenir. Le tout situé en banlieue par-dessus le marché ! Oui, mais il y a trois ans, la donne était différente.

Elle venait de quitter Louis. Il fallait trouver quelque chose rapidement. Elle se souvenait d'ailleurs que ses amis et sa famille avaient eu la délicatesse de lui souligner à maintes reprises : *Tu prends une décision précipitée*. C'était faux. La décision de quitter son conjoint, si elle n'obtenait pas ce qu'elle désirait, était mûrie. C'est sa mise à exécution qui ne l'était pas.

Elle avait claqué la porte après une altercation véhémente avec Louis. Une de ces disputes qui font déborder le vase. C'est Isabelle qui avait ouvert les hostilités après qu'elle ait rendu les armes du charme et de la séduction, émoussées par des années de vaine utilisation. Elle avait apostrophé son mari alors qu'il lisait tranquillement dans le séjour en sirotant son café.

– Tu ne veux pas me donner ce que je désire le plus au monde.

Louis leva les yeux vers sa compagne, attendant la suite avec calme. Et résignation. Il savait trop bien de quoi elle voulait l'entretenir.

Isabelle trépignait sur le pas de la porte, désirant fiévreusement qu'il dise quelque chose. À la limite, n'importe quoi. N'importe quoi plutôt que ce silence et ce flegme qu'elle avait toujours eu de la difficulté à supporter chez son conjoint. Complètement exaspérée, elle avait fini par décréter, en jouant sa carte ultime : « Tu ne m'aimes pas ! » bien qu'elle fut persuadée du contraire.

Un long moment de silence suivit. Si long aux yeux d'Isabelle qu'il fit vaciller ses certitudes quant à l'amour que lui vouait son mari.

– Je t'aime.

Ces trois mots prononcés par Louis avec autorité la rassurèrent et soulevèrent une lame d'espoir dans son cœur.

– Mais je ne veux pas te faire un enfant. Pas tout de suite.

La vague déferla, noyant les rêves de maternité d'Isabelle.

– Cela fait cent fois que tu me dis ça, cria-t-elle, éperdue d'impuissance. J'ai trente-huit ans. Ça urge !

Louis se mordillait les lèvres en triturant sa moustache, seuls signes apparents de nervosité. Puis, il se leva, s'approcha de son épouse et lui murmura en enserrant ses épaules :

– Je suis désolé.

– Pourquoi tu ne veux pas me satisfaire ? demanda-t-elle plus calmement en se dégageant de l'étreinte.

– On ne fait pas des enfants pour satisfaire les désirs de quiconque, pas même de sa conjointe... La paternité c'est plus sérieux que ça.

Isabelle pleurait, le dos appuyé contre la porte.

– Mais pourquoi tu ne veux pas être père ?

– Parce que je n'en ai aucune envie.

La gifle retentit sur la joue de Louis qui chancela sous l'impact.

– Il y a plein d'hommes qui feraient n'importe quoi pour me plaire, cracha Isabelle avec dédain, encore sous le choc de la violence de son geste. Je n'aurais qu'à lever le petit doigt...

– Alors, vas-y ! Tu peux lever la main entière si tu veux, répondit Louis, incapable d'accepter la brutalité dont il avait été victime. Si tu penses qu'un homme fera un bon père parce qu'il a simplement voulu te satisfaire et se satisfaire lui-même en s'envoyant en l'air avec toi, je te souhaite bonne chance.

– Je n'aurais pas à aller bien loin pour trouver un homme qui accepte mes demandes légitimes, dit-elle en appuyant sur le dernier mot avec un regard haineux. Ton frère Michel, par exemple !

Pourquoi avait-elle balancé cette énormité, se demanda-t-elle aussitôt ? Michel la flirtait, bien sûr, mais de là à laisser Nancy pour elle... De toute façon, Isabelle ne voulait pas de lui. Tout ce scénario n'avait absolument aucun sens !

Louis, le regard éteint, le visage livide, souffla d'une voix cassée en amorçant un pas vers la sortie :

– Ne te gêne pas pour moi.

Avant de quitter la pièce, il ajouta en tournant la tête vers elle :

– As-tu pensé à mon père ? Ce veuf-là ferait un bon parti. Je suis presque certain qu'il ne dirait pas non à ta proposition.

Puis, il sortit en coup de vent.

Isabelle s'appuya à nouveau contre la porte, pantoise. Seule au milieu du champ de bataille, elle contemplait l'unique cadavre à tenir encore debout : elle-même. Que faire maintenant ? Essayer d'éponger le sang ? Tenter de recoudre tant bien que mal les plaies béantes ? Elle n'en avait ni le courage ni la force. Alors, que faire ? Que faire ? Fuir ! La seule option possible.

Tenant son rêve brisé dans une main, sa honte dans l'autre, avec ce goût amer dans la bouche qui n'arriva jamais à se dissiper vraiment, elle quitta l'appartement. Elle n'y retourna que pour aller prendre ses affaires une semaine plus tard. Elle acheta cette maison de Greenfield Park à peine un mois après s'être séparée de Louis. Isabelle voulait faire un pied de nez à son mari. Il verrait que d'ici quelques années, ça grouillerait d'enfants là-dedans. Aujourd'hui, elle pouvait admettre que c'était ridicule comme comportement. Les enfants ne sont jamais venus, faute de père. La maison, elle, est restée. Voilà pourquoi elle enviait son loft à Yvon.

Ce dernier fit irruption sur la terrasse, de méchante humeur. Il alluma le barbecue en maugréant.

– T'as honte de moi ou quoi ? dit-il en se tournant vers elle.

– Jamais de la vie ! Qu'est-ce qui te prend ?

Isabelle se redressa sur le transat. La soirée s'annonçait longue et houleuse.

– Alors, il n'y a pas de raison pour que tu ne m'accompagnes pas au salon funéraire.

– T'es insensible ou t'es inconscient, Yvon !

– Isabelle tirait d'une main sur sa jupe trop étroite pour être confortable, l'autre étant occupée à tenir maladroitement le verre de sangria.

– J'ai été sa femme pen...

– Tu ne l'es plus !

Yvon lui avait coupé la parole d'une façon aussi tranchante que sa logique irréfutable.

– C'est vrai.

Isabelle détestait ces discussions où il avait le dernier mot grâce à des raisonnements cartésiens inattaquables mais ô ! combien parcellaires.

– Mais je l'ai été pendant dix ans.

– Peu importe. Il est mort, affirma-t-il, le briquet brandi au bout de son poing.

« Strictement exact », se dit Isabelle, excédée.

Terriblement inquiète des qu'en-dira-t-on, elle demanda tout de même :

– Et le reste de la famille ?

– Michel est au courant de notre relation depuis trois mois. Je me fous de Nancy. Stéphane doit apprendre à l'école de la vie.

Yvon passait et repassait sa main dans ses cheveux argentés, braquant à nouveau le briquet devant le barbecue déjà allumé. Réalisant sa bévue, il déposa lentement l'objet sur une tablette adjacente et respira lentement à plusieurs reprises. Une fois calmé, il prit le temps de regarder l'eau du canal qui coulait sereinement avant de s'approcher d'Isabelle, cherchant à s'asseoir à ses côtés. Elle accepta, après une courte hésitation, de lui faire une place.

– On ne peut plus lui faire de peine, à Louis, murmura Yvon tandis qu'il replaçait une mèche blonde cachant le magnifique visage de son amie. D'ailleurs, on ne lui en a jamais fait.

– Que tu crois ! soupira Isabelle, piteuse.

– Tu penses à notre rencontre avec Michel ? Il m'a juré de ne pas en parler à Louis. Je suis certain qu'il a tenu parole.

Cette rencontre, un vrai cauchemar ! Isabelle et Yvon avaient rendez-vous au restaurant pour luncher. Ils s'étaient embrassés à l'arrivée et n'avaient pas cessé de se bécoter pendant tout le repas. Ce n'est qu'au café qu'ils avaient remarqué un homme replet, au crâne pelé, qui les épiait : Michel, caché derrière son journal. Il avait observé la scène comme un voyeur tapi dans un coin lorgne une femme qui se déshabille. À la honte de profaner l'intimité du couple se mêlait l'excitation de voir leurs bouches se chercher goulûment et leurs mains se caresser avec avidité. À cela il fallait ajouter un autre élément essentiel à la compréhension du personnage : la jalousie. Yvon possédait la femme qui faisait fantasmer son fils Michel depuis longtemps. Le corps svelte et galbé d'Isabelle, sa chevelure sable blond des Caraïbes, son *sex-appeal* raffiné, son charisme irrésistible... Toutes de bonnes raisons pour débrider l'imaginaire de Michel, coincé par des années de mariage avec Nancy.

À la suite de la découverte de la présence indésirable de Michel, les amants s'entendirent sur la façon de gérer cette situation délicate. Compte tenu de leurs agissements pendant le repas, il serait manifestement impossible de prétexter une rencontre fortuite ou une relation amicale. Yvon devrait donc aller rejoindre son fils pour discuter avec lui tandis qu'Isabelle s'éclipserait. Cette dernière se leva et sortit du restaurant en décochant un sourire discret mais tout de même charmeur à Michel qui venait de croiser son regard, à la fois étonné et honteux d'avoir été pris en flagrant délit de voyeurisme. Yvon se dirigea d'un pas assuré vers la table de son fils à la mine déconfite.

– Je peux m'asseoir ? demanda-t-il en prenant place sans attendre.

– Bien sûr, p'pa ! répondit Michel, soudain redevenu un ado.

– Je n'ai pas besoin de te faire un dessin sur le type de relation que j'entretiens avec Isabelle.

Yvon dardait son regard gris acier dans les yeux noisette de son fils qui répondit par un rictus suivi d'un rire mâchouillé.

– Je veux que les choses soient claires, mon gars.

Michel écoutait en cillant des yeux.

– Isabelle et moi, on s'est rencontrés par hasard, au Globe-trotter, son agence de voyages. Elle était seule. Moi aussi. Tu devines le reste.

Michel haussa les épaules en faisant un geste vague de la main prouvant qu'il avait tout de même un minimum d'imagination. Yvon renchérit :

– Je ne pouvais pas laisser passer une femme comme elle !

Michel demeurait silencieux tandis que le noisette de ses yeux se mettait à pétiller. Yvon, pour la première fois mal à l'aise, passa la langue sur ses dents d'albâtre avant d'ajouter :

– Tu comprends ?

– Oui, p'pa.

Michel déboutonna sa chemise trop serrée pour son cou dodu et relâcha son nœud de cravate verte rayée brun. Il comprenait très bien que personne ne pouvait laisser passer Isabelle.

– À la bonne heure ! s'enthousiasma Yvon, soulagé, en tapotant amicalement l'épaule de son fils. Entre hommes, on se comprend toujours.

Michel esquissa un sourire, les épaules voûtées, la cravate de travers, tandis qu'Yvon se levait prestement.

– Maintenant qu'on s'est compris, je dois y aller.

Il fit mine de partir mais se ravisa aussitôt. S'appuyant fermement sur ses bras, les mains encastrées dans la table, il murmura à Michel en s'approchant de son visage :

– Je compte sur ta discrétion, mon gars.

– Évidemment, p'pa ! s'exclama Michel en relevant les épaules comme un enfant trop heureux d'avoir un secret à partager avec son père.

– Louis n'a pas à savoir ça.

– Non. Bien sûr que non, p'pa.

Michel resserra sa cravate, fort de la confiance que lui prodiguait son père.

– Ni personne d'autre, ajouta Yvon en soulignant le mot *personne* au trait rouge.

– C'est promis, déclara solennellement Michel en soulevant discrètement la main droite, renversant son verre d'eau par la même occasion.

– Je savais que je pouvais compter sur toi, conclut Yvon avant de tourner les talons et courir rejoindre Isabelle qui l'attendait dehors pendant que le dépositaire transitoire du secret épongeait sa cravate devenue moins terne.

Après le départ de son père, Michel commanda un bourbon qu'il avait bien l'intention de siroter à petits coups jouissifs. Dieu qu'il était satisfait de la conversation d'homme à homme qu'il avait eue avec Yvon ! Il saurait se montrer digne de sa confiance. Il réussirait coûte que coûte à faire taire la jalousie qui le tourmentait à un point qu'il n'aurait cru possible. Et puis, pas question de blesser inutilement Louis en dévoilant la liaison de son ex avec son père. La solidarité familiale, ça servait aussi à protéger un petit frère qu'on aimait parce que... parce qu'il était son petit frère.

Michel prit une gorgée du précieux liquide ambré qu'il fit tourner dans sa bouche pour en humecter la langue et le palais avant de l'avaler. Pourquoi aimait-il Louis ? Il chercha longuement les raisons de son affection mais il dut constater que les seules qui lui venaient à l'esprit avaient toutes rapport à son enfance. L'hippopotame et l'échalote qu'ils étaient adoraient se lancer la balle ou jouer au soccer ensemble. Michel excellait côté stratégie, tandis que Louis brillait par son agilité. Ensemble, ils formaient une équipe d'enfer ! Chacun pouvait compter sur l'autre pour s'amuser, parvenir à la victoire ou même pour se défendre contre des adversaires plus agressifs. Lorsque Michel délaissa le sport pour se consacrer à ses études, le trait d'union qui les liait pourtant si fortement l'un à l'autre fit place à des points de suspension. Les deux frères ne réussirent jamais à trouver d'autres intérêts communs susceptibles de les rapprocher. Mais qu'importe ! Pas question de faire souffrir Louis indûment par la divulgation du secret qu'il partageait avec son père.

– Michel m'a promis de ne jamais rien dire à Louis, martela Yvon en regardant sa maîtresse, convaincu de la fidélité de son fils.

Isabelle se leva. Elle avait déposé son verre sur la table après l'avoir fini en avalant la dernière gorgée bien plus pour se griser que pour étancher sa soif. Elle se dirigea ensuite lentement vers le muret de briques cernant la terrasse et s'y appuya en regardant les pédalos qui glissaient sur l'eau. Elle prit une grande inspiration pour faire entrer en elle la quiétude qui exhalait de ce tableau avant de se retourner et d'affronter le regard d'Yvon.

– Michel, oui. Pas Nancy.

– Qu'est-ce que tu veux dire ?

– Louis était au courant pour nous deux.

Yvon devint livide. La gorge serrée, Isabelle commença d'une voix monocorde :

– Michel s'est disputé avec sa femme. Une fois de plus. Dans le feu de l'action, le secret lui a échappé. Il a dit qu'un jour, il ferait comme toi avec moi ; il se paierait du bon temps.

Sa voix devint chevrotante.

– Malgré les supplications de Michel, Nancy en a parlé à Louis dès le lendemain.

Isabelle cessa un instant de regarder Yvon, atterrée de nouveau par la mesquinerie de Nancy qui semblait en vouloir à la terre entière de tourner sans lui en demander la permission. Elle revint se plonger dans les yeux gris de son amoureux, à présent délavés et dépourvus de lumière.

– C'était il y a trois semaines.

Yvon se leva pour se donner une contenance, fit le tour du transat, puis alla s'échoir à la table de jardin, dos à Isabelle. Il n'arrivait pas à croire que Michel l'ait trahi, avec Nancy en plus, cette commère doublée d'une chipie. Comment son fils avait-il pu lui désobéir ! Encore sous le choc, il demanda :

– Comment l'as-tu su ?

– Michel m'a téléphoné au bureau, catastrophé.

– Il avait ton numéro ? interrogea-t-il, surpris, en se tournant vers elle, absolument incapable de réprimer une pointe de jalousie perçant dans le timbre de sa voix.

– Tu lui as parlé de notre première rencontre.

Agacée par le ton presque inquisiteur employé par son amant, Isabelle réprima tout de même son irritation pour conclure rapidement :

– Il a dû enregistrer le nom de l'agence.

– Pourquoi te le dire, à toi ?

La jalousie d'Yvon s'acharnait. La jalousie et le sentiment de trahison par ce fils qui avait préféré se confesser à Isabelle plutôt qu'à lui.

– Il avait peur de ta réaction. Moi aussi. Alors on s'est tus.

Il fallait bien convenir qu'Yvon en imposait, tant par sa stature que par sa force de caractère. Ses deux fils le craignaient depuis toujours car, lorsqu'ils étaient jeunes, leur père piquait des colères dévastatrices, laissant toute la famille pantoise. Isabelle se souvenait d'un incident particulièrement traumatisant que son ex lui avait raconté en détail. Cela s'était produit bien des années avant qu'ils ne se rencontrent.

Un samedi matin, en compagnie de son père, Louis lavait sa Mustang dans l'entrée de garage de la maison familiale située à Laval. À la fois étonné et fier de voir Yvon s'intéresser à son *hobby*, Louis eut le malheur de baisser sa garde qu'il maintenait toujours en sa présence.

– P'pa ! dit-il, en faisant mousser le capot de la voiture.

– Oui, mon gars ? répondit Yvon tandis qu'il commençait à rincer l'arrière de l'automobile, le boyau à la main.

– J'ai décidé d'entrer aux HEC en septembre.

– La bonne blague, s'esclaffa Yvon, s'attaquant aux pare-chocs arrière. Ton inscription est faite en médecine et, Dieu merci, tu es accepté !

Louis avait cessé de s'affairer sur le capot. Il tordait son éponge comme on égorge un poulet.

– Je sais que ça va te décevoir...

Ses doigts, crispés sur l'éponge, avaient perdu toute couleur.

– Mais je ne suis pas fait pour être médecin.

– Ton dossier académique est irréprochable !

Yvon tenait le boyau en continuant d'appuyer sur la gâchette du pistolet qui n'arrosait plus dorénavant que l'asphalte du garage.

– Ça prend plus que de bonnes notes pour être médecin. Ça prend la vocation.

– Balivernes ! avait crié Yvon en brandissant le boyau qui arrosa le chien du voisin. Les Lefrançois auront tous des professions médicales. Je suis dentiste, Michel sera pharmacien et toi, médecin. La discussion est close.

– Oui, papa.

Un moment sensible au sort de Michel qui avait abandonné son rêve de devenir entraîneur de soccer pour plaire à son père, Louis tremblait, les mains toujours entortillées autour de l'éponge.

– Tu as raison. La discussion est close.

Yvon poussa un soupir de soulagement et reprit son travail comme si rien ne s'était passé, assuré de la pérennité de son autorité sur ses enfants. De l'autre bout de la Mustang, il entendit pourtant :

– J'entre aux HEC en septembre.

Yvon cessa illico d'arroser. Il tourna la tête en direction de son garçon en lui jetant un regard dont les lames d'acier de ses yeux gris allèrent se planter dans son cœur. Louis encaissa le choc de la blessure, sans sourciller. Fort de la rage que confère l'impuissance, Yvon prit le boyau de ses deux mains et commença à frapper la voiture avec la pomme de métal, sans dire un mot. Quand il en eut terminé avec la Mustang, cette dernière ressemblait au sol lunaire.

– Je suis maintenant certain que ton frère est plus intelligent que toi, dit-il à bout de souffle.

Il déposa délicatement le boyau par terre et ajouta avant d'entrer dans la maison :

– Prends du bon temps aux HEC !

Ni son père, ni Louis, ni personne dans la famille ne parla jamais plus de cet incident. Yvon fit réparer la voiture à ses frais une semaine plus tard. En septembre, Louis déménagea en appartement à quelques pas des Hautes Études Commerciales. Michel devint pharmacien et ouvrit son commerce à Laval à un coin de rue du cabinet de son père.

Yvon savait-il qu'il terrifiait ses enfants ? « Probablement pas », se dit Isabelle, les yeux rivés sur la nuque de son amant qui passait et repassait les mains dans ses cheveux argentés.

Il était cependant conscient de l'ascendant qu'il avait exercé sur eux et qu'il avait cru jusqu'à maintenant coutumier d'exercer sur Michel.

– Yvon ?

Le silence, inhabituel chez cet homme, inquiéta Isabelle. Elle insista :

– Yvon, ça va ?

– Ça va, murmura-t-il, impassible.

Une minute s'égrena. Puis une autre. Entre les deux, la jalousie et la douleur d'avoir été trahi par Michel cédèrent le pas à une immense culpabilité de la part d'Yvon envers Louis. Son fils était au courant de sa liaison avec Isabelle ! Cette découverte avait-elle fait naître chez son garçon une jalousie susceptible de le faire souffrir malgré les années de séparation et le divorce ? S'était-il senti trahi par son père ? Ou dominé par lui ?

Incapable de supporter davantage le poids de ces questions qui resteraient à jamais sans réponse, Yvon, en bon prestidigitateur qu'il était, métamorphosa sa fureur contre lui-même en rage contre ce fils, mort avant d'avoir éclairci la situation.

– Louis n'a même pas eu les couilles de venir me demander des explications ! proféra Yvon entre ses dents en regardant dans le vide. Il a fini sa vie comme il l'a vécue ; en *looser* dépourvu d'ambition.

– Yvon, tu parles de ton fils ! s'indigna Isabelle. Et de l'homme avec qui j'ai vécu pendant dix ans, ajouta-t-elle d'une voix quasi imperceptible.

Elle tourna la tête vers le canal. Pour se dissocier des propos d'Yvon, sans doute. Mais surtout pour cacher les larmes qui coulaient sur son visage. Isabelle avait profondément aimé Louis. Sa bonhomie, son intelligence... même sa passion pour les voitures la faisaient sourire, du moins au début de leur relation. Certes, le manque d'ambition de son mari la dérangeait, lui qui se contentait de travailler pour un cabinet de comptables plutôt que d'en ouvrir un lui-même, mais elle aurait pu faire avec, n'eût été de sa rigidité et de son entêtement quant au projet de devenir parent.

Isabelle eut beau contempler le paysage serein de l'eau qui coulait doucement, rien n'y fit : elle pleurait sans pouvoir s'arrêter tandis que ses hoquets perforaient le silence étouffant qui s'était à nouveau installé entre les amants. Elle s'efforça tout de même de prendre de grandes inspirations pour réussir à se calmer et finit par sécher ses larmes. Puis, prenant son courage à deux mains, elle pivota vers son compagnon et posa la question qui lui brûlait les lèvres depuis l'annonce du décès de son ex.

– Et s'il s'était suicidé ?

– Voyons !

Yvon se tourna vers elle en se levant. Sûr de lui, il ajouta :

– Tu sais bien que Louis est mort du sida.

Isabelle le regarda fixement. Incrédule, elle hocha la tête de gauche à droite en murmurant :

– Cela ne colle pas avec l'homme que j'ai connu. Sa personnalité, sa façon de vivre... Je n'arrive pas à croire qu'il soit mort du sida.

Isabelle s'avanca vers lui d'un pas résolu.

– Michel a tout intérêt à s'en tenir à cette hypothèse.

– Pourquoi ? cria Yvon en serrant les bras d'Isabelle tel un homme qui se noie s'accrochant à une bouée.

– Parce que si son frère s'est suicidé, Michel doit se sentir terriblement coupable. Il sait bien qu'il n'aurait jamais dû parler de notre relation à Nancy.

Isabelle étayait sa pensée comme un bulldozer nettoie un terrain en friche ; avec force et obstination.

– Il connaît sa femme. Elle aime blesser les gens ! Elle est tellement amère...

Les genoux d'Yvon plièrent. Il dut se cramponner au dossier de la chaise avant de s'y asseoir lourdement, livide.

– C'est ridicule !

Yvon chassait cette idée du revers de la main tandis que son esprit contemplait déjà avec effroi cette possibilité.

– Le suicide de Louis... Le camouflage de Michel...

– Peut-être, dit Isabelle en s'assoyant à son tour, terriblement lasse et cherchant mollement à rassurer son ami.

Pourtant, elle ne put s'empêcher d'ajouter dans un souffle :

– Michel est le seul à avoir eu entre les mains le rapport du médecin... Il a peut-être menti et personne n'en sait rien. L'a-t-il seulement lu, ce rapport ?

Le silence s'installa à nouveau. Assis, dos au canal, Yvon et Isabelle avaient quitté la terrasse pour aller séjourner en enfer, chacun de leur côté. La jeune femme fut la première à revenir sur terre. Elle remarqua le teint cireux d'Yvon, la sueur qui perlait sur son visage et ses mains qui tremblaient légèrement. Elle posa délicatement sa main sur le bras de son ami et lui dit doucement, en voulant minimiser l'impact de ses propos :

– C'est mon sentiment de culpabilité qui m'a égarée.

Elle serra le bras d'Yvon, ses lèvres effleurant l'oreille attentive de son amant.

– Je maintiens qu'il est peu probable que Louis ait contracté le sida. Mais il est impensable qu'il se soit suicidé. Il n'était pas le genre d'homme à utiliser une solution aussi radicale, conclut-elle, presque persuadée de ses propos.

– Je ne crois pas, moi non plus..., répondit Yvon en s'épongeant avec une serviette de table, bien plus pour se convaincre que par certitude.

Isabelle murmura en lui caressant le cou, couvert de sueur :

– On n'a rien à se reprocher. Tu as toujours eu raison sur ce point. Le hasard a voulu que...

– Ça n'a rien d'un hasard, Isabelle, coupa Yvon, épuisé.

Il se toucha la poitrine en grimaçant :

– J'ai écumé les agences de voyages pour te retrouver. Les vacances au Mexique, c'était seulement un prétexte pour devenir ton amant.

Puis il s'écroula.

*   *
*

– Je ne resterai pas chez toi cette nuit.

– Pourquoi donc, déjà ? dit Anne, simulant l'indifférence.

– Tu sais bien ! Je suis en tournage demain.

– Ah oui !

Anne picorait dans son assiette, cherchant distraitement à attraper le dernier radis de cette salade fadasse, assise en compagnie de Benoît sur la petite terrasse de son condo. En fait, moins une terrasse qu'un balcon de fond de cour branché.

– Ça me revient, lança-t-elle, comme si elle avait cherché longtemps la réponse. C'est pour une maison de pompes funèbres.

Benoît fixa sa blonde sans dire un mot. Anne ne comprenait pas l'attitude de son ami.

– Qu'est-ce que t'as à me regarder en écarquillant les yeux ?

– Une maison de pompes funèbres !

– Quoi ? Ce n'est pas cela ? demanda-t-elle, étonnée.

– Pas vraiment, non.

Il fit une pause, se demandant s'il valait la peine de continuer. Mais avec un soupir de découragement, il poursuivit :

– Je tourne une vidéo pour une agence de voyages.

Anne se mordit la lèvre. Benoît lui effleura tendrement la joue :

– Tu penses à Louis ?

Anne se taisait, les yeux dans l'eau.

– Sa mort t'a ébranlée, n'est-ce pas ?

Elle hocha la tête en répliquant :

– Pas toi ?

– Oui, mais pas au point de confondre ce que je vais tourner demain ! lança-t-il en riant.

Elle sourit en caressant doucement le bras de Benoît. Ce qu'il était beau son *chum* ! Ses cheveux châtains ondulés aux mèches blondes quand le soleil d'été les chatouillait... Son regard bienveillant contrastant avec la noirceur de ses yeux, à la fois vifs et pénétrants... Son nez retroussé aux allures juvéniles...

– Tu sais, je n'ai rien contre le fait de partager mon lit avec un réalisateur qui a un tournage le lendemain, susurra-t-elle, soudain éperonnée par le charme viril de son ami.

– Je veux réviser mon découpage technique et le dossier est chez moi.

Benoît lui baisa la main avant d'ajouter :

– J'en ai pour toute la soirée.

Elle signifia qu'elle comprenait et commença à desservir la table en regrettant déjà de ne pouvoir faire l'amour avec lui ce soir-là. Benoît emboîta le pas. Une fois la nappe pliée et la vaisselle rangée, Anne arriva à prendre un air dégagé pour demander s'il viendrait avec elle au salon funéraire le lendemain soir.

– Je ne peux rien te promettre. Je ne sais pas à quelle heure le tournage va se terminer. Comme toujours !

– Je veux y aller à l'heure du souper, quand il n'y aura personne. Je ne connais pas la famille de Coconut et je n'ai pas envie de la rencontrer.

Ce n'est pas que la famille de son ami sembla particulièrement détestable. Lorsqu'il en parlait, ce qui était rare, il n'avait que de bons mots à son égard. De bons mots, certes, pour son père et son frère, mais des mots toujours dépourvus de chaleur. Sauf quand il évoquait sa mère décédée cinq ans plus tôt, ou son neveu. Comment s'appelait-il déjà, ce jeune ? Stéphane ! C'est cela, Stéphane. Anne aurait bien voulu en savoir davantage sur la famille de Louis, surtout sur son ex dont il ne parlait pour ainsi dire jamais. Chaque fois, il se défilait avec une jolie phrase, toujours la même, en homme d'habitudes qu'il était : « Quand je suis avec toi, y a plus de passé et y a pas d'avenir. Y a que le cliché instantané du présent. Ça me fait tellement de bien de sortir de ma routine ! Je t'en prie, ne me gâche pas mon plaisir. » Désirant à nouveau plaire à Coconut, elle avait donc décidé de le rencontrer une dernière fois en privé, loin des ornières du passé.

Anne et Benoît s'assirent sur le canapé, finissant en silence la bouteille de vin entamée au repas. La dizaine de bracelets en argent qui ornaient le poignet de la jeune femme cliquetaient chaque fois qu'elle portait le verre à ses lèvres. Benoît, préoccupé par le tournage, demeurait insensible à cette musique sensuelle de parures féminines qui s'entrechoquent. La robe que son amie portait n'arrivait pas non plus à crever la bulle dans laquelle il s'était emmuré. Il l'aimait pourtant cette robe rouge, cintrée juste ce qu'il faut pour souligner les formes sans pour autant s'appesantir dessus. Le bas évasé du vêtement tombant au mollet laissait entrevoir une dentelle noire qu'affectionnait particulièrement Benoît. Avec ses boucles noires, ses pommettes saillantes et sa bouche gourmande, Anne ressemblait à une gitane qui aurait émigré dans les beaux quartiers.

Tandis que Benoît s'égarait dans son monde, Anne oscillait entre le désir de se laisser aller à sa peine et l'envie de s'éclater pour célébrer la vie qui l'habitait. Mais ce qui lui importait le plus actuellement, c'était de rétablir le contact avec son *chum*. Elle jouait la désinvolte depuis qu'il était arrivé à la maison. Elle ne voulait surtout pas montrer qu'elle avait terriblement besoin de lui en ce moment. Anne projetait l'image d'une femme libre et forte qui n'avait besoin de personne. C'était d'ailleurs ce reflet qui lui plaisait quand le regard de Coconut se posait sur elle. En ce qui concernait Benoît, il en allait tout autrement : sa force tranquille, son *sex-appeal* terriblement attirant et son empathie envers tout ce qui l'entourait lui faisaient perdre pied. Au contact de son amant, Anne se métamorphosait en océan, vivant au rythme des marées réglées sur sa peur de perdre sa précieuse liberté. Elle s'éloignait de lui lorsqu'elle se sentait happée par le tourbillon de passion et d'amour qu'il lui inspirait. Quelques heures ou quelques jours plus tard, lorsque le manque de lui se faisait trop pressant ou que la crainte de le perdre la consumait, elle déferlait à nouveau sur Benoît pour le reconquérir.

En cette soirée de veillée aux morts, Anne aurait eu besoin de la présence réconfortante de son ami, de ses caresses, de son écoute. Elle aurait voulu qu'il comprenne ses états d'âme sans qu'elle ait à lui demander son aide. Alors elle chercha à le faire parler, le faire sourire, le faire rire... N'importe quoi qui puisse les rapprocher l'un de l'autre. Elle pensa avoir trouvé le bon filon lorsqu'elle lui dit en le taquinant :

– Tu dois avoir hâte à ton tournage. Si je me souviens bien, tu m'as dit que ta cliente était très jolie...

Anne passa la main dans ses boucles indisciplinées en projetant sa petite poitrine rebondie vers le torse de son ami.

– ...Fort sympathique et supérieurement intelligente !

Ses bracelets tintaient comme les clochettes d'une fée polissonne tandis qu'elle remplissait à ras bord le verre que son ami venait à peine d'entamer.

– Serais-tu jalouse ? lui demanda-t-il, amusé, en sortant de sa coquille, une fois de plus conquis par sa blonde délurée.

Elle répondit platement en faisant déborder le verre, exprès :

– Tu sais bien que je ne le suis jamais.

– Oui. Je le sais, laissa-t-il tomber en retournant au pas de course dans sa carapace après avoir aspiré bruyamment du vin pour endiguer le débordement.

– Mais ça pourrait changer ! laissa échapper Anne, elle-même surprise de ce qu'elle venait d'exprimer.

– Surtout ne change rien.

Son ton en était un de défi.

– Ça me plaît comme ça, conclut-il en calant d'un trait son verre, soudain écœuré d'avoir la nausée chaque fois que l'océan tressautait sous l'emprise d'une forte houle.

– Ce n'est pas ce que tu disais, balbutia-t-elle, déstabilisée par l'attitude de Benoît.

Ils avaient fait un pacte tous les deux ; ils sortaient ensemble, mais ils se permettaient d'aller « voir ailleurs » de temps en temps. Anne se doutait que Benoît ne s'était jamais prévalu de cette clause de leur contrat tacite et qu'il avait accepté cet arrangement pour ne pas risquer de la perdre, même si ça le blessait. Il comprenait toutefois qu'elle avait besoin que la porte reste ouverte. Elle servait à y laisser passer des amants à l'occasion, certes, mais surtout à respirer librement. L'air du dehors l'empêchait de suffoquer.

Mais voilà qu'avec la mort de Coconut, cette porte ouverte laissait entrer des courants d'air froid glaçant Anne jusqu'aux os. À toujours surfer sur la brise, on effleure sans doute beaucoup de choses, mais jamais on n'arrive à laisser une empreinte sur quoi que ce soit. Que resterait-il d'elle après sa mort ? Un petit tas de cendres dispersées par le vent.

– Presque vingt heures quinze ! Il faut que je me sauve.

Benoît se leva d'un bond et se dirigea vers la sortie d'un pas rapide. Anne l'accompagna jusqu'à la porte, son verre à la main, l'air tristounet. Il la prit dans ses bras et lui murmura à l'oreille :

– Je vais faire tout ce que je peux pour terminer avant dix-huit heures, demain. Comme ça, on pourrait aller au salon ensemble.

– Surtout, ne t'en fais pas avec ça !

Elle le repoussa en employant le même ton de défi qu'il avait utilisé quelques minutes auparavant.

– De toute façon, je préfère y aller seule.

– C'est exactement ce que je pensais, répondit-il du tac au tac.

Il ajouta, un soupçon de dépit dans la voix :

– Fais de beaux rêves !

Puis il referma la porte derrière lui pendant que la jeune femme vidait son verre.

Anne exauça en partie le souhait de Benoît : elle rêva. Par souci d'indépendance, par bravade ou simplement parce qu'elle ne pouvait faire autrement, ce furent cependant des cauchemars qui vinrent la hanter.

* *
*

Il y avait moins d'effervescence que d'habitude, cette nuit-là, à l'urgence de l'hôpital. La journée ensoleillée et chaude expliquait en partie cette accalmie. Les gens s'appesantissent moins sur leurs malaises par beau temps. Le fait qu'on était un mardi y était aussi pour quelque chose. Julie ne s'en plaignait pas, même si le temps passe plus vite quand il y a de l'action. Cela lui permettrait de s'occuper davantage de chacun de ses patients. À commencer par l'homme du lit numéro 5 dans la salle d'observation.

– Il a fait une crise d'angoisse, lui avait dit sa collègue du soir, lors de la passation des dossiers.

– Et il croyait faire un infarctus ?

– C'est ça. Tous les examens se sont révélés négatifs. Le médecin lui a donné son congé. Il vient de libérer le lit, mais il n'a pas quitté l'hôpital. Il est assis dans le petit salon avec son amie. Je ne sais pas ce qu'il attend.

– Qu'on le rassure.

Sa collègue haussa les épaules.

– Je m'en occupe, conclut Julie, n'ayant trouvé aucun écho auprès de son interlocutrice.

Après avoir changé le pansement de la dame du 3 et ajusté le niveau d'oxygène de l'homme du 12, Julie se dirigea vers le salon réservé aux proches des patients.

– Garde ! Ce n'est pas sécuritaire que mon ami reste seul chez lui cette nuit, dit la femme sur un ton faussement convaincu avant d'ajouter un « N'est-ce pas ? » qui ressemblait bien plus à une supplique de dire le contraire qu'à une volonté d'entendre confirmer ses dires.

– Je te dis que ça va.

L'homme paraissait agacé.

– Tu as entendu le médecin : Je n'ai rien. Rien qu'un peu stressé.

– Bonsoir monsieur ! prononça l'infirmière avec un sourire rassurant.

Julie avait toujours considéré qu'il était préférable d'établir un contact, même minime, avec les patients et leur famille avant de répondre à leurs questions. Cela suffit souvent à installer un climat de calme et de confiance. Elle les connaît bien, ces questions où se mêlent la culpabilité en même temps que le désir inavouable de laisser le proche à lui-même. Elle les a entendues des centaines de fois, sous toutes les formes possibles. Isabelle enchaîna :

– Chose certaine, je dois aller chercher des documents chez moi. J'en ai absolument besoin pour demain.

Elle regardait l'infirmière du coin de l'œil, cherchant à savoir ce qu'elle en pensait. Le visage de Julie demeurait impassible. En fait, elle prenait le pouls du couple : une superbe femme au début de la quarantaine, un bel homme de vingt ans son aîné, un malaise physique qui jette du sable dans l'engrenage de la vie... Isabelle ajouta :

– Mais je peux revenir à Montréal tout de suite après.

– Va dormir chez toi, Isabelle. Il est déjà tard. Une grosse journée t'attend demain. Ça fait des semaines que tu me parles de ce tournage... Il faut que tu sois en forme.

L'homme paraissait soudain très las.

– Je rentrerai en taxi. L'hôpital est à dix minutes de la maison.

Lorsque Julie comprit que ce patient désirait rester seul et qu'il souhaitait en même temps libérer sa copine de l'obligation qu'elle s'était créée de passer la nuit avec lui, elle dit avec autorité et empathie :

– Si le médecin a signé son congé, c'est que votre ami va bien. Vous pouvez partir.

Isabelle hésitait encore. Julie ajouta en riant :

– Comme je suis en pause et que je n'ai personne à qui parler, je vais proposer à votre ami de prendre un bon café avec moi. Ensuite je lui appellerai un taxi.

Isabelle se retint de lui dire qu'Yvon ne buvait pas de café. Elle n'avait jamais materné son ami et ce n'était pas maintenant qu'elle allait commencer. Elle quitta l'hôpital rassérénée. Bien sûr, les questionnements soulevés par la mort de Louis demeuraient entiers, mais on savait maintenant qu'Yvon avait le cœur solide. C'était l'essentiel.

Il fallait prendre les choses une à la fois. D'abord la vidéo. Ensuite le salon funéraire, puis le rapport médical de Louis pour en avoir le cœur net sur la cause de son décès.

– Isabelle tourne demain un documentaire promotionnel pour son agence de voyages. Ça l'énerve beaucoup, dit Yvon à Julie en jetant un coup d'œil aux fesses rebondies de l'infirmière, affairée devant la distributrice de boissons chaudes.

– Et vous, ça vous angoisse, affirma à la blague Julie en offrant à l'homme un café brûlant. Vous formez une belle paire !

Il sourit, plus détendu depuis le départ de son amie. Il accepta avec plaisir cette boisson chaude qu'il refusait d'avaler depuis des années pour éviter de tacher son sourire immaculé. En fait, son refus systématique de boire du café datait d'après le décès de son épouse, il y avait cinq ans de cela, lorsque la course contre la vieillesse et la mort avait prit le relais de la célébration de la douceur de vivre.

Yvon versa une crème et deux sucres dans le breuvage avant d'y tremper les lèvres en fermant les yeux. Malgré le goût approximatif de ce café d'automate, des images de matins d'hiver blotti contre sa femme devant l'âtre s'imposèrent tout à coup à son esprit..., des après-midi d'été dans le jardin, lui lisant le journal, elle un magazine consacré à la cuisine..., des soirées de télé en mangeant des biscuits triple chocolat... Comme il l'avait aimée, sa Madeleine : douce, conciliante, posée et cordon-bleu par-dessus le marché ! Tout ce qu'il n'était pas, quoi. Bien sûr, elle ne possédait ni la jeunesse, ni la beauté, ni le charisme d'Isabelle, mais cela importait peu pour Yvon lorsque Madeleine était encore en vie.

À son décès, pourquoi l'avait-il si peu pleurée ? Plutôt que de se renfermer sur sa douleur, il avait choisi de repousser les frontières de l'âge et de sa conséquence inévitable, la mort. Il s'était lancé immédiatement dans une cure de rajeunissement, perdant des kilos superflus au même rythme qu'il prenait des muscles. Il s'était blanchi les dents et fait dégraisser les paupières inférieures. Une fois remis à neuf, il avait rejoint la confrérie des *cœurs à louer*. Ses conquêtes, toutes plus jeunes que lui, avaient en commun leur dynamisme et leur amour de la vie. Lorsque le divorce de Louis et d'Isabelle avait été prononcé, il avait réussi à se convaincre que le champ était libre et qu'il ne transgresserait pas les règles de l'éthique en partant à la recherche de cette femme qu'il avait toujours admirée. Aurait-il mieux fait de rester chez lui à pleurer sa Madeleine bien-aimée jusqu'à ce que la source se soit tarie, au lieu de courir après une fraîcheur qu'il ne pourrait plus jamais retrouver ?

Yvon ouvrit les yeux, perturbé par cette question dont il ne connaissait pas la réponse. Julie le regardait, un sourire bienveillant ornant son visage. Ce qu'elle était mignonne avec ses taches de rousseur et ses cheveux carotte. On aurait dit un personnage des contes de Maupassant ! Il prit une gorgée de café et la fit rouler sur sa langue en se brûlant avant de l'avaler.

– Mon fils est mort.

– Gadget aussi.

Ces mots lui avaient échappé. Un moment ils étaient là, dans sa bouche, piaffant d'impatience au bord de ses lèvres. Le moment d'ensuite ils étaient sortis, se ruant dans les oreilles d'Yvon pour ne pas qu'elle les reprenne en prétextant qu'elle ne les avait jamais prononcés. Julie s'en voulait. Elle était là pour écouter. Et pour se taire.

– Gadget ?

Yvon la dévisageait. Les mots en cavale avaient bien fait leur travail.

– Un sobriquet, sans doute ?

– Oui.

Julie refusait d'apporter des précisions, non par manque d'intérêt, car elle aurait parlé volontiers sans arrêt de son ami, mais plutôt par professionnalisme. Et puis, une question la titillait : pourquoi s'obstinait-elle à n'utiliser que ce surnom lorsqu'elle l'évoquait ? Louis, c'était plutôt joli comme prénom... Oui, mais ça ratissait trop large. Ça englobait toute l'existence de son copain, alors qu'elle s'acharnait à couver jalousement le seul souvenir de l'insouciance de leur vie estudiantine.

– Cela me ferait du bien si vous m'en parliez, souria Yvon d'un air entendu en soufflant sur son café pour le refroidir. Cela me ferait sortir de ma douleur.

« Perspicace, cet homme ! » pensa Julie qui céda à l'envie de soulever un pan de sa vie et de celle de son copain ; d'autant plus qu'avec Denis c'était impossible. À peine connaissait-il l'existence de Gadget. Il ne l'avait jamais rencontré, ni personne d'autre d'ailleurs, et ne le souhaitait pas non plus. Seuls les gens qui pouvaient lui être utiles pour ses affaires ou son ascension sociale trouvaient grâce à ses yeux. Lorsque Julie lui avait annoncé le décès de son ami, il s'était contenté de dire : « Il y a de la mortalité dans l'air ! Jamais deux sans trois. »

À sa décharge, elle devait admettre qu'elle n'avait jamais voulu que Gadget fasse partie de leur vie de couple. Facile, lorsque les seules choses qu'on partage avec son amant depuis deux ans sont le lit et les factures d'électricité !

Elle tenait à garder son ami pour elle, de peur que Denis bousille leur amitié. Gadget était trop tête folle pour être son amant. Denis préférait de beaucoup un homme comme son conseiller financier, qu'elle n'avait pas connu mais de qui il avait toujours dit le plus grand bien et qui lui paraissait, à elle, d'un ennui mortel.

Julie se cala dans un fauteuil et prit une gorgée de café en tirant sur le bas de son uniforme un peu trop serré pour elle. Elle regarda l'heure. Deux heures trente. Dans un quart d'heure sa pause serait terminée. Cela lui laissait très peu de temps pour échanger avec cet inconnu en deuil.

– Gadget était le roi du gadget. D'où son surnom ! Tous les bidules qui arrivent sur le marché et qui ne servent qu'à accumuler de la poussière, cela l'attirait.

– J'aurais aimé qu'on me donne ce surnom.

Yvon avait étendu les jambes. Il prit une petite gorgée de café avant d'ajouter en riant :

– Je l'aurais mérité.

Cette jolie rouquine aux multiples taches de rousseur plaisait bien à Yvon. Sa beauté sans prétention, son corps charnu sans être rond et ses yeux rieurs l'apaisaient et lui redonnaient une légèreté qu'il avait perdue depuis la mort de Louis.

– Il y a des trucs qui vous allument plus que d'autres ? lui demanda-t-elle, intéressée.

– Tout ce qui a rapport aux dents : brosses électriques, porte-soie électrique, soins blanchissants, prothèses, dents en or...

Julie riait.

– Gadget, lui, c'étaient les gadgets concernant les voitures. Modèles réduits de Formule 1 à assembler, fanions de Grands Prix, brosses hyper performantes pour laver, nettoyer, rincer, cirer les voitures...

Julie se vautrait dans l'énumération des bidules maintes fois manipulés par son copain.

– Sans compter tous les nouveaux produits pour faire briller le cuir des sièges ou le plastique du tableau de bord. Il a essayé toutes les mousses pour laver la moquette, les désodorisants pour assainir l'air de l'habitacle.

Elle s'était avancée sur le bord du fauteuil et faisait de grands gestes de la main, risquant de renverser son café sur son vêtement immaculé.

– Il avait une collection inimaginable de porte-clés, de chamois, de feux de signalisation d'urgence, de lampes de poche... Si je voulais lui faire plaisir, je n'avais qu'à lui trouver un truc rigolo pour la voiture, s'enflammait-elle, certaine de connaître les goûts de son ami comme le fond de sa poche. Même pas nécessaire que ce soit pratique ou utile !

– Je crois que je me serais bien entendu avec votre ami, dit Yvon, enjoué. Gadget... C'est sympathique comme surnom.

Se souvenant qu'elle était là pour écouter son patient, Julie reporta son attention sur lui.

– Votre fils, il vous avait donné un surnom ?

– Non, se rembrunit Yvon. C'est à peine s'il prononçait mon nom.

Il termina son café d'un trait.

– Il était tellement fermé, secret.

Il avait pensé au qualificatif « terne », mais s'était retenu de le dire.

– Je suppose qu'il aimait les voitures, comme la plupart des gars ?

Elle s'efforçait de préserver l'aspect joyeux de cette conversation.

– Il n'aimait rien, mon fils.

Yvon passa la main dans ses cheveux et la langue sur ses dents blanches en regardant le fond de sa tasse vide. Puis il avoua simplement :

– En fait, je ne sais pas ce qu'il aimait. Je ne sais même pas quelle voiture il conduisait. Nos relations se limitaient à une rencontre annuelle chez mon plus vieux, au jour de l'An.

Pourtant, il n'en avait pas toujours été ainsi. Yvon avait pris plaisir à s'amuser avec Louis et Michel lorsqu'ils étaient gamins : hockey dans la rue, soccer dans le parc, ballon-panier sur l'asphalte de l'entrée du garage... À l'adolescence, les enfants s'étaient éloignés de lui mais il n'y avait pas de quoi s'en formaliser. Il était normal et même très sain de prendre ses distances face à l'image paternelle pour réussir à se fabriquer sa propre personnalité ! C'est ce qu'avait prétendu Madeleine, et il l'avait crue. À cette époque, Louis passait son temps à se balader dans sa vieille Mustang, tandis que Michel s'entraînait au soccer. Tant que leurs résultats scolaires seraient excellents, Yvon n'interviendrait pas dans la gestion de leurs horaires. Il n'eut jamais à le faire.

La véritable fissure, celle qu'on enjambe avec peine, s'était produite lorsque Louis avait tourné le dos au rêve de son père : faire médecine. Mais tant que Madeleine avait été là pour jeter des ponts au-dessus du gouffre qui ne cessait de s'élargir, la famille avait pu continuer à fonctionner correctement. Tous les anniversaires de naissance étaient célébrés ainsi que la Saint-Valentin, Pâques, Noël, le jour de l'An. Même les remises de diplômes avaient été soulignées, peu importe d'où ils provenaient : des HEC, de la faculté de médecine ou d'une obscure institution scolaire ! À cela, il fallait ajouter que le mariage de Louis avec Isabelle avait également été un facteur déterminant dans le maintien de la cohésion familiale. L'épouse de Louis avait fait l'unanimité au sein du clan Lefrançois. À une exception près : la femme de Michel, Nancy, qui la jalousait maladivement. Il faut dire que la beauté d'Isabelle, sa classe, sa gentillesse et son intelligence avaient de quoi semer l'envie.

Les nombreuses rencontres familiales s'étaient poursuivies durant l'année suivant le décès de Madeleine, comme pour compléter un cycle, chacun désirant honorer la mémoire de cette femme pour qui la famille avait toujours été une priorité. Puis, le temps avait entamé son processus d'érosion. Le temps, et aussi les nouveaux centres d'intérêt du père de famille. Sans oublier la séparation de Louis d'avec Isabelle, une cruelle aberration selon Yvon. Épouser cette femme, c'était ce que Louis avait fait de mieux dans sa vie et il l'avait perdue. Tous ces éléments avaient fait en sorte que désormais les Lefrançois ne se réunissaient au grand complet qu'au jour de l'An.

Yvon écrasa sa tasse de carton entre ses mains, l'air morose, puis la jeta dans le panier à côté de lui. Julie voulut alléger l'atmosphère devenue lourde, beaucoup plus lourde que ne le laissaient supposer les mots échangés.

– Vous avez dit que vous vous seriez bien entendu avec Gadget. Vous aimez les voitures ?

– Pas vraiment. Je suis plutôt bateau.

– Voilier ?

– Non. À moteur. Je suis basé dans le Vieux-Port. J'aime naviguer sur le fleuve.

Ses joues rosirent tandis que ses yeux s'allumèrent.

– Passer les écluses du canal de Lachine, ma blonde en maillot sur le pont...

Yvon guettait la réaction de Julie, conscient du machisme délibéré de ses propos.

– Les badauds qui la regardent, appuyés sur la rambarde.

Julie souriait.

– Vous ne seriez pas un peu macho par hasard ?

– Non. Seulement amoureux.

Yvon se leva, la remercia chaleureusement et partit du pas léger que seul l'amour peut procurer. Julie retourna à ses patients alités en s'imaginant un instant en trophée exhibé par Denis sur un pédalo de luxe. Non, vraiment ! Cela ne cadrait pas avec ce qu'elle était ni avec le couple qu'ils formaient.

Elle en eut du regret.

4

Ils étaient quatre à scruter le moniteur. Quatre voyeurs qui observaient une femme par un trou de serrure virtuel, cherchant à débusquer le moindre défaut pouvant nuire à la perfection de l'image qu'ils étudiaient méticuleusement. Isabelle, habituée à ce qu'on l'admire, se sentait embarrassée : toute l'équipe faisait la moue devant son visage, mis à part le coiffeur qui semblait satisfait de son travail. Benoît devinant le malaise de sa « vedette » lui dit en souriant pour la rassurer :

– Il y a de petits ajustements à faire.

Elle ébaucha un sourire contrit.

– Ce n'est pas vous qui êtes en cause, c'est tout à fait normal !

Elle leva les sourcils, prête à croire tout ce qui pourrait l'aider à retrouver son aplomb.

– Le résultat final sera parfait. J'en suis certain.

Isabelle soupira d'aise.

Puis, Benoît s'adressa à la maquilleuse à voix basse.

– Trop blême. Tu peux arranger ça, Karine ?

Elle hocha la tête en sortant ses brosses. Benoît continuait à examiner l'écran.

– Ses cheveux sont plats.

– C'est très *tendance* ! répondit Patrick, réprimant son agacement.

– Il faut leur donner du volume, conclut Benoît sur un ton aimable mais ferme.

Le coiffeur haussa les épaules. Puis il sourit en dessinant sur le moniteur une ligne imaginaire autour de la tête d'Isabelle.

– Je gonfle ici, je boucle là. OK ?

– Excellent ! approuva Benoît en regardant sa montre. Ça va prendre combien de temps ?

– J'ai besoin d'au moins vingt minutes, dit Patrick, péremptoire.

– D'accord. Je t'en donne quinze.

Patrick et Karine se dirigèrent vers la salle de maquillage improvisée, la petite cuisine de l'agence, en compagnie d'Isabelle, obéissante. Le directeur photo, jusque-là silencieux, se gratta la tête qu'il avait ronde et bien pelée, puis regarda Benoît en lui disant à contrecœur :

– Il y a quelque chose qui ne va pas.

Benoît l'écoutait comme quelqu'un qui sait déjà ce qu'on va lui apprendre.

– Le fond est trop pâle pour le vêtement qu'elle porte.

– C'est vrai. Ça manque de contraste, avoua Benoît, embêté.

Il marcha rapidement vers la cuisine. Il coupa la conversation qui semblait bien amorcée entre Isabelle et le coiffeur.

– Désolé ! dit-il, tout sourire. Qu'est-ce que vous avez, à part ce chemisier lilas ?

– Rien, répondit Patrick en la voyant pâlir. Madame a oublié d'apporter des vêtements de rechange. Ce sont des choses qui arrivent ! ajouta-t-il, prenant résolument la part d'Isabelle, manifestement mal à l'aise. Et puis, ce chemisier est superbe, n'est-ce pas ?

– Oui, oui... Absolument ! s'empressa de dire Benoît en cherchant à cacher son découragement.

Il fit volte-face en maugréant. Porter les chapeaux à la fois de producteur et de réalisateur n'était pas facile. Quand apprendrait-il à refuser ce genre de contrat ! Quand son compte en banque le lui permettrait. Voilà ! Fort de cette constatation d'une logique implacable, il s'approcha du directeur photo et dit d'une voix assurée :

– On va changer de cadre.

Voyant la mine déconfite du directeur photo, il ajouta :

– Il n'y a pas d'autre solution ! Ça m'embête autant que toi de perdre du temps avec ce chambardement.

Puis, il lança à la ronde :

– On déménage le plateau devant le mur bleu royal ! Il faudra enlever le calendrier. On ne tourne pas *Le jour de la marmotte.*

– Le jour de la marmotte ? questionna Isabelle qui avait suivi le réalisateur pour s'excuser de cet oubli.

Surpris, Benoît se retourna vivement, jusque-là inconscient de la présence de la cliente derrière lui.

– Si on n'enlève pas ce calendrier, vous aurez l'impression de revivre le mercredi 13 juin chaque fois que vous visionnerez cette vidéo, dit-il en riant pour mettre un peu d'humour dans cette matinée mal barrée.

« Surtout pas ! » pensa Isabelle qui n'en menait pas large après les événements de la nuit précédente. Arrivée chez elle à deux heures trente (cette idée de vivre à l'extérieur de la ville, aussi !), elle ne s'était couchée qu'à trois heures quinze, après avoir écumé sa garde-robe à la recherche de vêtements susceptibles de répondre à la demande du réalisateur. De nombreux cauchemars avaient entrecoupé son sommeil. Au matin, le réveil n'avait pas sonné, à moins qu'elle ne l'ait pas entendu. Peu importe ! Le résultat était le même.

Elle s'était levée avec une heure de retard. Après une douche rapide, elle avait enfilé sa jupe pervenche cintrée et le chemisier de soie lilas qu'elle portait la veille. Puis, elle avait sauté dans sa voiture pour aller s'encastrer dans un bouchon monstre au pont Victoria. Ce n'est qu'en sortant du pont qu'elle s'était rappelé les vêtements choisis avec tant de peine, restés dans le placard. Arrivée à l'agence les yeux cernés, le teint blême, le cheveu hirsute, elle avait repris courage en pensant à la maquilleuse et au coiffeur, sûrement habitués à accomplir des miracles. De toute évidence, le miracle requis dépassait leurs capacités.

– Vous êtes prête pour les retouches de maquillage ? s'enquit Karine, partie à ses trousses.

– Désolée ! dit Isabelle dont le regard passa de la maquilleuse au réalisateur. Je voulais m'excuser pour les vêtements.

Benoît fit un geste signifiant que cela n'avait pas d'importance.

Isabelle hésitait à reprendre le chemin de la cuisine. Elle hasarda en effleurant à peine le regard de Benoît, tellement elle manquait d'assurance :

– Je passe mal à l'écran, c'est ça ?

– Au contraire ! répondit-il, illico. Vous faites déjà une très belle image et, avec les retouches, ce sera parfait.

– Ah, oui ?

Il sourit en hochant la tête. Isabelle, ragaillardie, retourna au maquillage au pas de course suivie de Karine, amusée par les propos extrêmement convaincants du réalisateur.

Benoît savait toujours comment rassurer lorsque la confiance des artistes ou des clients vacillait. C'est d'autant plus facile quand les compliments sont vrais. Dieu qu'il la trouvait jolie, cette femme ! Un visage canalisant la lumière, des lèvres parfaitement dessinées aux commissures relevées qui lui donnaient toujours l'air de sourire, et des yeux ! Des yeux lavande rappelant la Provence et qui bouffaient l'écran. Pourvu qu'elle s'exprime aisément et qu'elle soit convaincante devant la caméra ! Rien de pire qu'un client se mettant lui-même en scène pour mousser son entreprise mais qui ne passe pas la rampe. S'il fallait que ce soit le cas, le retard pris dès le début de la journée ne pourrait jamais être rattrapé. Des heures supplémentaires seraient à envisager pour l'équipe technique. Difficile de faire avaler à un client une facture revue à la hausse, surtout s'il est le principal responsable de cette augmentation. Une raison de plus pour éviter d'être à la fois le réalisateur et le producteur d'un projet !

Après une demi-heure de nouveaux préparatifs, Benoît, fébrile, prit le pouls de son équipe, l'incitant ainsi à accélérer la cadence :

– On est prêt à tourner ?

– Deux minutes, répondirent tour à tour le directeur photo et Patrick.

Le résultat fut excellent. Isabelle, stimulée par les remarques du réalisateur et les regards admiratifs de l'équipe, livra une performance remarquable, à tel point qu'à l'heure du lunch, ils avaient rattrapé le retard. L'équipe technique avait envie de mets asiatiques ; Benoît et Isabelle, d'une baguette jambon beurre. L'équipe découvrit un restaurant thaïlandais recommandé par la cliente, alors que celle-ci se rendit avec son réalisateur dans un sympathique bistro situé à deux pas de l'agence. Attablés près d'une fenêtre, c'est un Benoît réceptif et serein qui entendit les excuses réitérées de sa cliente.

– Encore une fois, je suis désolée pour les vêtements et les yeux cernés...

Isabelle toucha son visage pour aussitôt retirer sa main tachée de fond de teint, l'air inquiet.

– Pas de panique ! dit Benoît en riant. Karine fera des retouches au retour. C'est dans l'ordre des choses.

Isabelle prit le temps de regarder autour d'elle avant de compléter sa phrase laissée en suspens. Satisfaite de voir les regards admiratifs des hommes et indifférente à la jalousie qui se lisait sur les visages de leur compagne, elle ajouta :

– J'ai passé une partie de la nuit à l'hôpital avec mon ami.

– C'est grave ? s'enquit Benoît, davantage concerné par le malheur des autres depuis la maladie et le décès de Coconut.

– Non, tout va bien maintenant. Mais avec la mort de mon ex il y a quelques jours, ça fait beaucoup.

La serveuse les salua et leur présenta les menus.

– Ce ne sera pas nécessaire. On sait ce qu'on veut, dit Benoît en négligeant de prendre les menus. Deux baguettes jambon beurre, s'il vous plaît.

– Du vin ? demanda Isabelle, de plus en plus *relax*.

– Non merci. Je préfère m'abstenir. Je veux garder les idées claires pour cet après-midi.

– Bonne idée. De l'eau plate sera plus appropriée, s'empressa-t-elle d'ajouter, déçue de ne pas y avoir pensé avant. Et puis, les joues rouges, les yeux brillants... C'est à déconseiller, n'est-ce pas ?

Benoît hocha la tête, sourire en coin. Se tournant ensuite vers la serveuse, il ajouta :

– Vous apporterez l'addition avec le repas. On est un peu pressés.

Une fois la commande passée, Benoît prit une gorgée d'eau avant de continuer la conversation.

– Vous étiez restée en contact avec votre ex ?

– Non. On ne se voyait plus depuis trois ans. Mais...

– Je comprends.

Benoît se tut, France et Geneviève faisant irruption dans sa tête sans y avoir été invitées.

– Certains liens résistent au temps. Même s'ils sont invisibles.

– Il y en a de plus visibles que d'autres..., murmura-t-elle en pensant à Yvon.

– Comment ?

– Rien. J'abondais dans votre sens.

Isabelle n'avait pas envie d'expliquer la situation dans laquelle elle se trouvait. Et puis elle cherchait à plaire, comme toujours. Surtout aux hommes. La meilleure façon de plaire n'est-elle pas d'être d'accord avec son interlocuteur ? Encore plus lorsque ce dernier a à peine quarante ans, qu'il mesure un bon mètre quatre-vingt, a les cheveux châtains bouclés, les yeux noirs, une allure décontractée, des jeans et une chemise vert pomme *sexy*... C'était dans la nature d'Isabelle de vouloir charmer. Elle le faisait tout naturellement sans autre arrière-pensée que d'obtenir la sympathie et l'admiration des hommes qu'elle côtoyait. Cela avait fonctionné avec Louis comme avec son frère Michel. Avec leur père, aussi. Comment avait-elle pu devenir la maîtresse d'Yvon ! Cette idée ne lui avait jamais effleuré l'esprit jusqu'à ce Nouvel An au Mexique.

– Moi, j'ai un ami qui est mort cette semaine, dit Benoît, autant pour relancer la conversation que pour se donner l'occasion de parler de Coconut. En fait, c'est davantage un copain de ma blonde.

Le souvenir cuisant de la discussion avec Anne concernant le salon funéraire refit surface.

– Qu'importe ! Je l'aimais bien.

– Qu'est-ce qui vous plaisait chez lui ?

S'informer des sentiments de son interlocuteur faisait mouche à tout coup. Isabelle connaissait ses classiques.

– Son côté...

Benoît hésita. Puis il risqua la franchise :

– ...inoffensif.

– Inoffensif ?

Ce mot avait piqué la curiosité d'Isabelle. La séance de charme était maintenant chose du passé.

– Coconut n'était pas le genre d'homme qui intéressait Anne comme amant pour une nuit.

– Coconut ? demanda Isabelle, intriguée.

– Le surnom que lui avait donné ma copine parce qu'il adorait la tarte à la noix de coco.

Isabelle sourit avant de s'excuser :

– Pardon ! Je vous ai coupé la parole. Vous disiez ?

– Il était un peu trop indécis, taciturne, tranquille pour l'allumer. Avec Coconut, je pouvais dormir en paix. J'étais certain que je ne le retrouverais pas dans le lit de ma blonde un beau matin.

Les propos de Benoît semblaient indiquer que son amie lui était infidèle mais Isabelle n'aborda pas ce sujet délicat. Et puis, elle était bien trop empêtrée dans ses propres problèmes pour s'intéresser à ceux de quelqu'un d'autre !

– J'ai cru longtemps que mon ex était inoffensif...

Un rictus déforma le sourire d'Isabelle.

– Mais sa rigidité a fait de lui un homme redoutable.

– Mon copain, lui, avait beaucoup de souplesse. J'aimerais en avoir autant. Cela en faisait quelqu'un de très agréable à côtoyer.

Sa voix cassa.

La serveuse déposa les plats sur la table ainsi que l'addition que Benoît ramassa aussitôt. Il prit une grosse bouchée de sandwich, autant par appétit que pour avoir un motif de ne plus parler. Isabelle fit de même, pour les mêmes raisons. Ils mangèrent sans dire un mot pendant un moment. C'est la jeune femme qui brisa le silence en poursuivant la conversation comme si elle n'avait jamais été interrompue.

– Mon ex-mari n'était qu'un entêté. Quand il avait décidé quelque chose, il s'y tenait. C'est pour cela qu'on a divorcé.

– Vous n'étiez pas d'accord avec ses choix ?

– Non, répondit-elle, sans apporter de précisions.

– Vous teniez mordicus à vos choix respectifs... Ça se comprend !

« Exactement comme Anne », pensa-t-il, attristé. Il voulait l'épouser. Elle refusait. Même pas question de partager un appartement ensemble !

Isabelle n'avait jamais vu la situation sous cet angle. Ils étaient tous les deux restés sur leurs positions. Il n'aurait pas d'enfant, elle, si. Leurs choix devenaient par le fait même irréconciliables mais légitimes de part et d'autre. Ils partageaient ainsi la responsabilité de l'échec de leur mariage. Pourrait-elle composer sans l'amertume qui l'habitait depuis des années ? Être une victime avait ses avantages. Assumer sa responsabilité comportait des risques qu'elle hésitait à prendre. Benoît avait donné dans le mille avec ces propos. Elle ne les avait jamais entendus ou assimilés auparavant.

– Vous avez déjà été marié ? demanda-t-elle, convaincue qu'il avait de l'expérience dans le domaine.

– Deux fois, déclara-t-il en avalant son dernier morceau de sandwich.

La première fois à vingt ans. Il était tombé amoureux de France en la voyant. La noce avait eu lieu six mois plus tard et la fête avait pris fin abruptement au bout de trois ans. Il avait épousé Geneviève à vingt-six ans. Après cinq ans de vie commune, ils avaient divorcé. On l'avait remercié dans les deux cas. Il était de trop dans son propre couple. Et l'histoire semblait se répéter avec Anne. Ils pouvaient passer plusieurs jours idylliques ensemble, puis soudain, elle lui donnait son congé. Oh ! Elle le faisait subtilement, Anne savait vivre tout de même, mais le message était suffisamment clair pour que Benoît batte en retraite. Cela se produisait toujours de la même façon. Elle pratiquait d'abord la présence dite « distante » : elle était là physiquement, mais son être se trouvait à des kilomètres de Benoît et les routes pour la rejoindre étaient scrupuleusement dynamitées. Si par un heureux hasard il en subsistait quelques-unes, Anne prenait soin de les miner pour être certaine que son amant ne puisse se rapprocher d'elle. Puis, elle passait à la phase « absence » avec explications : elle ne pouvait pas le voir car le travail l'accaparait trop. Ou bien, elle regrettait de ne pouvoir retourner ses appels mais le temps lui manquait et elle était si fatiguée.

Cette impression de ne pas avoir de place remontait à son enfance. Benoît avait l'habitude de dire qu'il était le quatrième enfant d'une famille de trois. Né douze ans après le cadet, il avait grandi à peu près seul avec des parents vieillissants et partageait très peu de souvenirs avec ses deux frères et sa sœur. C'est sans doute pour cette raison qu'il aimait l'idée même du mariage : former un noyau familial, s'engager envers quelqu'un, être reconnu par l'autre...

Toutefois, la mort de Coconut était venue freiner son envie de se marier avec Anne. La preuve venait d'être faite ; la vie pouvait vous fausser compagnie à n'importe quel moment. Alors, pourquoi gaspiller son temps si précieux à nager à contre-courant ? Pourquoi risquer l'échec une fois de plus ? Benoît n'était pas prêt à jeter l'éponge, mais il y pensait sérieusement. Son amour pour Anne l'en empêchait encore. Son amour et l'admiration qu'il éprouvait envers elle. La quête de liberté et d'autonomie de son amie lui faisait presque envie ; il aurait bien aimé être plus indépendant. Et puis, il y avait l'espoir. L'espoir qu'un jour elle le choisisse, lui, à l'exclusion de tout autre. Bien qu'elle le trahissait parfois – pouvait-on parler de déloyauté lorsque les règles du jeu sont clairement établies ? –, Benoît sentait que la liberté qu'elle revendiquait commençait à l'indisposer. Ses absences se faisaient un peu moins fréquentes, son indifférence un peu plus passagère... Mais peut-être prenait-il ses désirs pour des réalités.

– Vous avez des enfants ? demanda Isabelle, cherchant à retrouver l'attention qu'elle avait perdue depuis un moment et déçue que Benoît ne se soit pas davantage épanché sur ses échecs matrimoniaux.

– Non.

Il sentit qu'il devait ajouter quelque chose pour nourrir la conversation qui s'étiolait. Il n'eut d'autre idée que de lancer platement :

– Et vous ?

– Pas encore.

Qu'est-ce qui lui avait pris de faire cette réponse ! Elle avait quarante et un ans ; Yvon, soixante-six. De toute façon, il était hors de question que ses enfants soient élevés par un homme qui aurait dû être leur grand-père. Et puis, elle ne pouvait imaginer être enceinte du père de Louis. Ce serait d'une inconvenance inacceptable à ses yeux.

Benoît regarda sa montre.

– Il faut y aller ! dit-il, étonné de la rapidité avec laquelle le temps fuyait. La journée est loin d'être terminée.

Constatant que sa cliente n'avait pas fini son assiette, il ajouta :

– Désolé ! Prenez le temps qu'il vous faut !

– Ça va. Je n'ai plus faim.

Sa frustration de ne pas être mère ainsi que son obsession de la minceur avaient eu raison de son appétit.

Benoît régla l'addition et sortit du bistro en compagnie d'Isabelle, en pressant le pas. Avec un peu de chance il pourrait arriver à temps pour accompagner Anne au salon funéraire. En fin de compte, peut-être accepterait-elle qu'il y aille avec elle ? Isabelle suivait en fouillant dans son sac, à la recherche de son portable. Elle appela Yvon, prit de ses nouvelles et lui confirma qu'elle n'irait pas au salon funéraire ce soir-là.

De retour sur le plateau de tournage, Benoît et Isabelle se remirent au travail avec enthousiasme. *The show must go on !* se dirent-ils intérieurement, heureux de pouvoir oublier, pendant quelques heures encore, leurs histoires de mortalité.

* *
*

– J'espère que ton père ne viendra pas avec sa...

– Avec Isabelle ?

– Avec Isabelle. Ce serait drôlement déplacé.

Pour Nancy, l'existence même d'Isabelle était déplacée. Mariée à Louis, elle dérangeait par sa beauté et son charme insolent. Divorcée de lui, elle sapait les fondements même de la famille. Maîtresse d'Yvon, elle bouleversait toutes les convenances.

– Isabelle et Louis étaient divorcés, lui rappela Michel, nerveux. Mon père peut venir au salon avec elle s'il en a envie.

– En tout cas, si elle est là, moi je sors.

– Fais comme tu veux.

– Tu préfères cette... moins que rien à ta femme ?

Michel quitta la chambre où il s'évertuait à nouer une cravate récalcitrante. Il fallait éviter la dispute à tout prix ! Tant de gens viendraient au salon funéraire qui ouvrait ses portes à quatorze heures. Il souhaitait les recevoir dans le calme et une sérénité relative, chose impensable si une querelle éclatait entre eux concernant l'ex-belle-sœur, sujet on ne peut plus délicat depuis toujours.

Une altercation particulièrement vicieuse – de part et d'autre d'ailleurs – avait laissé une empreinte indélébile dans la mémoire de Michel. Cela s'était produit cinq ans plus tôt... Non, six, puisque sa mère était encore en vie à l'époque. Toute la famille célébrait le quarantième anniversaire de Nancy. Se sachant le centre d'intérêt, elle s'en était donné à cœur joie en vantant *ad nauseam* ses mérites en tant qu'agent immobilier, une profession éminemment palpitante et gratifiante. Lorsqu'elle se rendit compte qu'on l'écoutait à peine et qu'une conversation semblait s'amorcer entre son mari et Isabelle, elle changea de registre. Son fils devint son sujet de prédilection et elle se mit à parler de son gamin de dix ans avec une admiration frôlant la vénération. Comme cet enfant était magnifique ! Ce qu'il pouvait être intelligent ! Il faisait la fierté et la joie de sa mère ! Sans lui, la vie n'aurait aucun sens ! Tout ce cirque s'accompagnait de caresses sur la nuque et dans la chevelure de Stéphane, de baisers sur ses joues, son nez et ses oreilles, toutes choses qui se produisaient rarement à la maison. Cette démonstration d'amour pavait la voie au coup qu'elle préparait. La chose se confirma lorsque Nancy lança à Isabelle et Louis, d'un air faussement ingénu : « Alors, quand est-ce que vous nous faites un petit Lefrançois ? » C'est à ce moment que Madeleine choisit d'entrer en scène et d'offrir le gâteau et les cadeaux, histoire de faire taire la fêtée.

De retour à la maison, Michel avait décidé, une fois de plus, de ne pas relever le comportement déplacé de son épouse. Il détestait la confrontation en homme conciliant qu'il était. Pleutre, aurait dit sa femme. Il se dévêtit prestement et enfila le pyjama duquel il avait coupé l'élastique de la taille, manœuvre plus facile à exécuter que celle de perdre du poids. Il se coucha en pensant : « Vivement qu'on passe à autre chose ! » Mais, c'était sans compter avec le caractère fielleux et revanchard de Nancy.

– La racoleuse de touristes en mal de voyages au Mexique était pas causante, causante, ce soir, grimaça-t-elle en s'extirpant de sa jupe ivoire, trop serrée pour elle.

Excédé de voir sa femme prendre encore ombrage du métier et de la réussite d'Isabelle, Michel répliqua sur un ton méprisant qui le sidéra lui-même :

– C'est probablement parce que la *dealer* de maisons n'arrêtait pas de jacasser.

– Tiens, tu la défends maintenant ? répondit Nancy, piquée au vif par la subite et inhabituelle prise de position de son mari.

Michel s'interdit tout commentaire. Cherchant à ne pas attiser le feu qui couvait, il se tourna de côté, enfonça la tête dans l'oreiller et ferma les yeux. Pendant ce temps, Nancy se délestait de sa gaine en réprimant un soupir de soulagement. Puis elle balança son chemisier à frisons coquille d'œuf sur le fauteuil Louis XIV qui ornait un coin de la chambre à coucher. Elle dégrafa ensuite le soutien-gorge de dentelle envahissante qui soutenait sa plantureuse poitrine et l'envoya rageusement promener sur son chemisier. Enfin, elle enfila brutalement une robe de nuit bleu poudre en mousseline sur laquelle étaient brodées de petites fleurs blanches et roses.

– J'espère que tu seras plus intelligent que ton frère, dit-elle en enlevant sa culotte avec nervosité.

– Qu'est-ce que tu racontes ?

Michel s'était tourné vers elle, le regard agressivement interrogateur.

– Tombe pas, toi aussi, dans le piège de l'enjôleuse, siffla-t-elle en se couchant plutôt lourdement.

Michel prit une grande inspiration, tourna le dos à sa femme, puis il éteignit la lumière en marmonnant :

– Jalouse !

– Jalouse ? Moi ? s'écria Nancy en allumant sa lampe de chevet.

Michel leva les yeux au ciel en se traitant intérieurement d'imbécile fini tandis que sa femme s'assoyait dans le lit.

– Pourquoi je serais jalouse de ma belle-sœur ?

Son ton, de plus en plus aigu, perçait les tympans de son mari, déjà exaspéré. Elle se fit insistante :

– Hein ? Dis-le !

Ne recevant aucune réponse, elle répéta la question sous la forme d'un solide coup de coude dans les omoplates. Elle ajouta de sa voix de crécelle :

– Qu'est-ce qu'elle a de plus que moi ?

– Tout ! hurla Michel, à bout de nerfs, en se retournant pour l'affronter. Elle a tout ! La beauté, le *sex-appeal*, le charme...

Nancy, assise droite comme un piquet, s'efforçait de rentrer le ventre. Elle trucidait son mari du regard. Elle releva la tête fièrement et, hautaine, articula d'une voix étonnement basse :

– Non, Michel. Elle n'a pas tout. Moi seule, j'ai un enfant.

– Ce n'est pas sa faute, répondit Michel, plus calme.

Il se leva, prit son oreiller et ouvrit la porte de la chambre.

– Louis refuse de lui faire un enfant et tu le sais très bien. Cela rend ton comportement de ce soir encore plus odieux.

Nancy encaissa le coup en ébauchant un rictus de contrition mêlé à de la satisfaction. Elle leva les sourcils et demanda, arrogante :

– Qu'est-ce que tu attends pour proposer tes services de géniteur ?

– Ne me tente pas, Nancy ! dit-il avec gravité.

Il sortit de la pièce et ferma doucement la porte, laissant sa femme pantoise.

Cela faisait six ans depuis cette dispute et Michel en avait encore la chair de poule. Pourquoi vivait-il toujours avec Nancy ? Pour Stéphane. Mais cet alibi, idéal lorsque son fils avait dix ans, tenait de moins en moins au fur et à mesure que les années s'écoulaient. Michel voyait d'ailleurs avec angoisse le moment où son ado deviendrait un homme et quitterait la maison. Ce jour-là, plus rien ne pourrait masquer sa veulerie. Était-ce pour cette raison qu'il exécrait la lâcheté de Louis devant les responsabilités qu'engendre la paternité ? Pour cette raison, très certainement, mais aussi parce qu'il ne comprenait pas que son frère puisse refuser quoi que ce soit à la belle Isabelle. Quand on a la chance d'être marié à une telle femme, on fait tout ce qu'il faut pour ne pas la perdre.

Pauvre Nancy ! Michel ne pouvait s'empêcher de la comparer à sa belle-sœur et, chaque fois, elle en sortait perdante. Ses cheveux mi-longs, méticuleusement mis en plis toutes les semaines, qu'elle prétendait de couleur auburn mais qui tiraient davantage sur le roux aux reflets poils d'orang-outan. Son corps massif et ses quinze kilos en trop qu'elle combattait sans détermination depuis dix ans avec la diète à la mode du moment. Ses vêtements griffés qu'elle s'obstinait à acheter une taille plus petite que la sienne et qui lui pétaient sur le corps. Ses bijoux aussi clinquants que chers. Ses talons aiguilles desquels elle déboulait sans arrêt en marchant. Son maquillage au pochoir. Ses ongles en acrylique longs comme des serres d'oiseau de proie. Ses airs de richarde accentuant bien malgré elle ses origines modestes. Jusqu'à son prénom dont elle avait modifié la prononciation pour faire plus chic et qui ne faisait qu'ajouter un côté clownesque à sa vulgarité immanente. *Nannncy* s'était métamorphosé en *Nancy,* comme la ville française, en appuyant ostensiblement sur le *an,* comme hi-han ! pensait régulièrement Michel, hilare.

N'eut été de la grossesse accidentelle, Michel n'aurait jamais épousé cette femme rencontrée dans un bar et baisée sur la banquette arrière de la voiture que son père lui avait prêtée pour la soirée. Nancy n'avait rien en commun avec son idéal féminin. Isabelle, si. Et c'est la raison pour laquelle il espérait secrètement la voir au salon funéraire. Il avait besoin de l'admirer en catimini. Il avait besoin de lui parler. Bien sûr, ce genre d'endroit n'était pas propice à un échange avec elle, d'autant plus que Stéphane agirait comme le chien de garde de sa mère dans le but de la protéger contre cette ennemie potentielle. Il s'interposerait certainement entre Michel et son ex-tante afin qu'ils aient le moins de contacts possibles. Comment lui en vouloir ? Stéphane avait été le témoin de tant de disputes entre ses parents concernant Isabelle ! Et puis, un fils de seize ans peut aisément sentir le désir de son père pour une autre femme que sa mère.

Michel entra dans la salle de bain où Stéphane appliquait dans ses cheveux une quantité de gel suffisante pour faire tenir dans les airs le pelage entier d'un mammouth.

– Qu'est-ce que tu attends pour te changer ? demanda-t-il en voyant son fils à travers un jeans troué, portant un chandail du Canadien et des sandales de plage. On part dans quinze minutes.

– Je suis prêt quand tu veux ! répondit Stéphane qui s'enduisit les mains de savon en éclaboussant le miroir et les robinets rutilant de propreté.

Voyant l'air abasourdi de son père, il ajouta, pour clarifier la situation :

– C'est ça que je porte.

La réponse fusa comme une gifle à la volée.

– Pas question !

Stéphane se cabra. Il passa et repassa les mains sous l'eau en jetant dans le miroir un regard mauvais à Michel qui triturait sa cravate. Le ton tranchant de son père ne passait pas. Stéphane n'était plus un enfant. C'était à lui de décider des vêtements qu'il allait porter. Michel comprit que l'affrontement n'était pas un bon moyen pour arriver à ses fins. Optant pour la ruse, il dit sur le ton de la confidence teinté d'un soupçon de tristesse :

– Ton oncle n'aimerait pas ces vêtements-là.

– C'est faux.

L'agressivité de Stéphane était palpable.

– De toute façon, t'as jamais su ce qu'il aimait ! ajouta-t-il en essuyant ses mains encore collantes sur une serviette blanche immaculée.

– Voyons Stéphane ! Quand il venait nous voir, il portait toujours son complet marron. Plus conservateur que cela, ça n'existe pas.

Michel venait de dénouer la cravate beaucoup trop courte pour être présentable.

– C'était pour ne pas dépareiller avec toi.

Michel accusa le coup. Son fils le trouvait ennuyeux. Il s'en doutait, mais cela faisait mal de l'entendre.

– C'est lui qui m'a offert ce chandail-là, continua Stéphane. Il en avait un semblable. On les mettait quand on allait voir le Canadien.

– Un salon funéraire, ce n'est pas un auditorium, répliqua Michel, catégorique. Aujourd'hui, Louis porterait un complet.

– C'est pour ça que tu l'as fait incinérer ? répondit Stéphane du tac au tac en fourguant à nouveau les mains dans sa tignasse poisseuse.

Déstabilisé autant par les propos de son fils que par l'agressivité avec laquelle il les vomissait, Michel resta coi. Au bout d'un moment il laissa échapper, las :

– Tout cela n'a plus d'importance. Louis est disparu.

– Tu l'as fait disparaître bien avant qu'il meurt.

– Peut-être, répondit Michel qui persistait à essayer de nouer convenablement cette satanée cravate.

Il avait pratiquement coupé les ponts avec son frère depuis près d'un an. Depuis que le divorce avait été prononcé, il ne l'avait vu qu'à quelques reprises, et toujours à la sauvette. Il s'en voulait. Il n'avait pas saisi à quel point Stéphane tenait à son oncle. Désolé, il laissa tomber lourdement :

– Mais aujourd'hui il est bel et bien mort.

– Pas pour moi. Pas encore. C'est justement pour ça que je porte des vêtements qu'il trouve *cool*.

Nancy arriva à son tour dans la salle de bain, boutonnant avec peine la veste tachetée noir et blanc du tailleur Chanel qu'elle avait acheté pour la circonstance. Elle dérapa sur une serviette mouillée qui traînait par terre. S'agrippant au comptoir pour ne pas tomber, ses mains glissèrent sur le gel à cheveux répandu partout autour du lavabo. Elle alla s'écraser sur la poitrine de son fils, le nez planté au beau milieu du C du logo du Canadien.

– Et c'est le but ! murmura Stéphane, mi-figue, mi-raisin.

Nancy releva la tête, ulcérée. Lorsqu'elle vit son garçon ainsi accoutré, elle fit un bond en arrière et percuta son mari. Elle regarda ce dernier d'un air hébété, puis se tourna vers son fils en balbutiant, de l'urgence dans la voix :

– Stéphane, on est pressés. Change-toi tout de suite !

Stéphane s'apprêtait à riposter mais c'est Michel qui parla en s'étranglant presque avec sa cravate dans un geste brusque.

– Il est très bien comme ça, s'entendit-il répondre sous le regard étonné de son fils.

Nancy dévisagea son mari, puis son fils. Elle ouvrit la bouche, puis la referma à deux reprises sans rien trouver à dire.

– Allez ! dit Michel avec autorité. Il faut partir.

Nancy regarda sa montre Cartier, hésita un moment, puis, d'un geste brusque, leur tourna le dos en haussant les épaules. Elle se dirigea ensuite d'un pas rapide vers la sortie, tombant à quelques reprises de ses hauts talons. Stéphane sourit à son père, puis emboîta le pas à sa mère. Michel ferma la marche en accrochant sur la poignée de porte la cravate qu'il n'avait toujours pas réussi à nouer.

5

– Tu penses à la mort, parfois ? avait demandé Anne un jour de vague à l'âme, assise sur la grève, tout près du chalet.

– Non.

– Tu ne te dis jamais que ta présence sur terre aura une fin ?

– Je sais que je vais partir un jour, avait répondu Coconut, factuel, tandis qu'il pliait soigneusement le pantalon et la chemise qu'il venait d'enlever. Qu'est-ce que ça changerait d'y réfléchir ? avait-il poursuivi en les déposant avec précaution sur la pelouse bordant la grève.

– Tu y trouverais peut-être un sens.

– Je n'en cherche pas, avait-il conclu en replaçant ses lunettes qui tombaient sur le bout de son nez.

Anne avait ôté sa jupe, pensive, dévoilant ainsi son maillot de bain enfilé plus tôt. Louis caressa furtivement du regard le corps de sa copine, moins parfait que celui d'Isabelle, mais tout aussi attirant. L'orange et le jaune des fleurs qui ornaient son deux pièces avivaient l'éclat de ses boucles noires qui venaient chatouiller son bustier. Puis, il dénoua les amarres du pédalo pendant qu'Anne lançait jupe et corsage pêle-mêle sur les vêtements de son ami.

– Monte ! Le lac et le soleil nous attendent, avait-il dit en aidant Anne à grimper à bord.

Les réponses succinctes de Coconut, sans prétention, sans fioritures et très logiques, la déconcertaient chaque fois. Impossible de philosopher avec lui ! Elle ne s'en était jamais plainte. C'était rafraîchissant de se contenter de vivre sans constamment s'interroger, contrairement à ce qu'elle avait tendance à faire trop souvent. Elle excellait dans l'art de se torturer les méninges sur les questions existentielles. Par contre, elle prenait des décisions rapides et sans aucune tergiversation en ce qui avait trait au quotidien. Tout le contraire de Louis, quoi ! Non seulement hésitait-il lorsque confronté à un menu de restaurant, mais aussi face à tout achat à effectuer : il avait autant de difficulté à choisir des biscuits sur les tablettes du supermarché que de la pâte dentifrice ou un manteau d'hiver. Après avoir passé des semaines à se questionner sur la pertinence d'acheter une Saab décapotable ou une Tiburon de luxe, il s'était commis pour la Hyundai. Une fois assis dans la voiture, il avait candidement demandé à Anne si elle pensait qu'il allait aimer la conduire.

La conversation dont Anne se remémorait chaque instant s'était déroulée dans les Laurentides, un an avant que le diagnostic de cancer généralisé ne vienne frapper son ami. Coconut y avait loué un chalet pour l'été. C'est Anne qui avait eu l'idée d'aller faire du pédalo sur le lac Abîme. Un pédalo des Pédalos Denis Chaumette incorporé. Elle avait tout de suite reconnu le logo de l'entreprise en voyant l'embarcation : une sorte de hibou hideux dont les yeux formés du D et du C du nom de son propriétaire louchaient horriblement. Anne faillit passer une remarque désobligeante à ce sujet, mais avait finalement jugé que cela n'en valait pas la peine. Pourquoi ternir ce beau moment par des récriminations mesquines et inutiles à l'endroit de son voisin.

Anne se tourna de côté, enfonçant la tête dans l'oreiller moelleux. Elle rejeta le drap qui la couvrait jusqu'aux yeux. C'est qu'il faisait chaud pour un 13 juin ! Elle regarda le réveil : quatorze heures. Insomniaque jusqu'au petit matin, elle avait fini par sombrer dans un sommeil lourd, rempli de cauchemars. Par chance, elle ne travaillait pas aujourd'hui ! Au cours de la nuit, elle avait bien sûr pensé à Benoît et à la fin abrupte de la soirée, mais elle s'était surtout remémoré des moments chargés d'émotion avec Coconut. Entre autres, une conversation qu'elle avait eue avec lui quelques jours après le diagnostic.

Ils étaient pour une rare fois chez Louis, dans le séjour, son ami étendu sur le canapé, un rayon de soleil frôlant frileusement sa joue émaciée. Il avait déjà déposé le jeu de Scrabble sur la table à café et attendait qu'Anne finisse de l'installer. Cette dernière s'appliquait religieusement à placer les chevalets bien droit, à retourner une à une les tuiles et à inscrire lisiblement leur nom sur la feuille de pointage, un peu à la manière d'un servant de messe affairé à manipuler les burettes, ostensoirs et autres objets sacrés. Pendant les manœuvres qui n'en finissaient plus de s'étirer, Anne jetait régulièrement un coup d'œil sur les rayons de la bibliothèque adossée au mur lui faisant face. Intriguée par une série d'objets – maquettes de Formule 1, fanions d'écuries de course automobile, porte-clés en tous genres –, elle avait demandé, curieuse :

– Je ne savais pas que tu collectionnais des gadgets d'automobile !

– Moi non plus, avait-il répondu, un sourire triste au coin des lèvres.

Anne le regarda, sourcils froncés, attendant une explication qui tardait à venir.

– Les cadeaux d'une amie... finit-il par laisser tomber en pointant les trucs déposés, en ordre, sur les rayons..., offerts à diverses occasions...

Contemplant les dizaines d'objets alignés, elle s'esclaffa :

– Il y a eu de nombreuses occasions à ce que je vois !

– Je dirais plutôt quelques occasions échelonnées sur de nombreuses années.

Coconut triturait sa moustache, pensif.

– Au début, tous ces trucs me faisaient tripper. Puis, je m'en suis lassé.

– Tu aurais pu dire à ta copine que tu ne faisais plus de collection. Ça aurait réglé le problème d'une partie de ton époussetage hebdomadaire.

Anne s'amusait, ses boucles noires et ses bracelets en argent rebondissant au rythme de son rire saccadé.

Louis rit à son tour, conquis par la légèreté de son amie. Puis, il répliqua, en haussant les épaules :

– Bah ! Ça lui faisait tellement plaisir de me les offrir.

Il remonta ses lunettes sur son nez et conclut :

– Si je lui avais avoué que j'étais passé à autre chose, j'aurais eu l'impression de trahir les souvenirs qui nous lient.

Fidèle Coconut ! Attaché à un dessert, dévoué à ses amis, loyal envers une famille avec qui il semblait avoir peu d'affinités, il allait jusqu'à se conformer à l'image figée dans le temps qu'une personne avait de lui. Anne songea qu'elle ne pourrait jamais déserter ce qui la définissait au présent au nom d'un passé obsolète. Pourtant, elle ne pouvait s'empêcher de trouver une certaine noblesse à la constance de son ami.

Perdue dans ses pensées, Anne n'avait pas remarqué que Louis venait tout juste de piger une tuile pour déterminer lequel d'entre eux entamerait la partie. Elle emboîta le pas. Une fois que le sort eut décidé qu'Anne jouerait la première, ils pigèrent leurs sept tuiles réglementaires et chacun fit semblant de jouer au Scrabble, comme si aucun diagnostic fatal n'alourdissait l'atmosphère. Après quelques mots au faible pointage, Anne brisa ce pacte tacite en demandant doucement :

– Tu as peur ?

– Oui.

Louis plaçait les tuiles, les yeux rivés sur le support de bois posé sur ses genoux. Incapable de trouver un seul mot à travers ces lettres aussi mêlées que son esprit, il ajouta :

– Tu crois qu'il y a quelque chose après ?

– Oui.

– Ouf !

Ils s'étaient regardés et avaient ri. Pour un instant, Louis avait fait sienne sa certitude à elle. Il fixa à nouveau le chevalet et aligna les lettres p-o-i-s-s-e, pour passer aussitôt à e-s-p-o-i. Il sourit. Cette accalmie dans la tempête, cet ancrage dans l'espoir lui permirent d'ouvrir un peu plus sa coquille.

– Tu crois en Dieu, Anne ? lui demanda-t-il posément en la regardant.

– Oui.

Elle soutenait son regard, ses yeux noisette brillant comme la chaussée après la pluie. Au bout d'un moment, elle ajouta en souriant :

– Tu ne dis pas ouf, cette fois ?

– Je n'ai pas assez de renseignements à son sujet pour me sentir soulagé, répondit-il, pince-sans-rire, en étudiant le jeu : aucun *R* disponible pour y accrocher les lettres de son chevalet. Qui te dit que ce n'est pas un être vengeur ?

– Cela m'étonnerait, répondit-elle en hochant la tête de droite à gauche, ses créoles torsadées argentées opinant elles aussi du bonnet.

Puis, elle haussa les épaules en lançant :

– De toute façon, il se vengerait de quoi ? T'es un bon gars !

– T'en sais rien, murmura-t-il en déposant le support sur la table, trop fatigué pour continuer la partie.

Rigoureusement exact. Anne ne connaissait de Coconut que la toute petite portion qu'il voulait bien lui révéler : il voyait rarement sa famille, plus du tout sa femme – dont il était divorcé –, il n'avait jamais eu d'enfant et n'en avait jamais voulu et il travaillait comme comptable dans un important cabinet aux affaires florissantes. Anne avait tenté d'en savoir davantage, un jour où la curiosité avait pris le pas sur la discrétion si chère à son ami :

– Je ne sais à peu près rien de ta vie. Pourquoi ?

– Parce qu'elle est ennuyeuse. J'ai peur que tu me trouves assommant si je te la raconte.

– Essaie. On verra bien.

– Non, pas question de prendre ce risque.

Louis cachait-il de sombres secrets ? Est-ce que le bon gars qu'elle côtoyait se transformait parfois en salaud ou bien en monstre comme dans les romans noirs ? Avait-il des reproches à se faire, de ceux qu'on emporte dans la tombe et qui nous mènent tout droit en enfer ? Impensable ! Pas Coconut. Pas lui. Au pire, il avait peut-être été haïssable, voire odieux, avec une femme. Les relations amoureuses peuvent fournir les meilleures occasions au monde pour se montrer sous son plus mauvais jour. Mais il n'y avait pas de quoi fouetter un chat. Il peut arriver à tout le monde d'être ignoble avec son conjoint, et deux fois plutôt qu'une ! Bien sûr, il y avait des degrés dans l'ignominie, mais Anne était convaincue que Louis se tenait tout au bas de l'échelle. Pour en être tout à fait certaine, il aurait fallu qu'elle devienne la maîtresse de Coconut, ce qui ne s'était jamais produit. D'abord, parce qu'il n'était pas son type. Ensuite, parce qu'il ne le lui avait jamais proposé.

– Tu sais, j'ai souvent eu envie de te prendre dans mes bras, lui avait-il avoué quelques semaines avant sa mort.

Assis dans le petit salon de l'unité des soins palliatifs de l'hôpital, Louis s'était confié à son amie, éventant ce secret comme un semeur éventre son sac de grains avant d'ensemencer la terre : en toute confiance et avec l'espoir que la récolte sera bonne.

– Au chalet, l'occasion était belle...

– Qu'est-ce qui t'a retenu ?

Anne, assise en tailleur dans un fauteuil de cuirette bleu royal, caressait Coconut autant avec le regard qu'avec sa voix douce et posée.

– Ton amitié.

Louis se laissait couver par la bienveillance sans complaisance de son amie.

– Je l'aurais certainement perdue au milieu des draps d'un lit défait à la hâte sous le coup du désir.

– Peut-être, avait-elle murmuré en ne le quittant pas des yeux.

La délicatesse avait dicté cette réponse à Anne, car en fait, elle était absolument convaincue que les craintes de Louis se seraient avérées. Ils étaient tellement différents l'un de l'autre ! L'amitié se nourrit de la différence. L'amour en meurt. Anne n'aurait jamais accepté que son amoureux lui cache son passé. Elle n'aurait pas supporté les hésitations de Coconut au quotidien, sa vision au ras des pâquerettes, son inexorable logique... Mais de son ami, elle prenait tout. En bloc. Elle en était même venue à apprécier ses zones d'ombre, lors de leurs conversations nourries presque exclusivement du dernier film à l'écran, du plus récent livre paru, des nouvelles à la une du journal et des silences entre eux.

C'est ce qu'elle préférait par-dessus tout dans leur relation ; la qualité du silence. Ils pouvaient passer de longs moments sans parler. Aucune gêne, aucun besoin de combler le vide. Certainement parce qu'il n'existait pas. L'amitié et le plaisir d'être ensemble remplissaient tous les interstices du néant.

Mais voilà, Anne et Coconut ne seraient plus jamais ensemble ! Ce constat ramena brutalement la jeune femme dans le présent. Elle se leva brusquement, comme si le fait de s'éjecter du lit pouvait lui permettre de fuir la réalité souffrante de la mort de son ami. Mais le radio-réveil la ramena à l'ordre. Il était maintenant quatorze heures trente. Elle devrait quitter la maison au plus tard à dix-sept heures trente pour être au salon funéraire à dix-huit heures, moment où tout le monde serait parti au restaurant. Elle avait rendez-vous avec son ami. Un rendez-vous important. Pour la dernière fois, ils allaient partager un silence complice.

* *
*

La mort, Yvon n'y avait jamais pensé, jusqu'au jour où son épouse mourut d'une rupture d'anévrisme cérébral alors qu'elle mordait dans une brioche aux raisins un dimanche matin, cinq ans plus tôt.

On était en juillet. Un couple de chardonnerets se nourrissait à la mangeoire du jardin, tandis que le couple Lefrançois déjeunait sur la terrasse, entouré de géraniums rouges et de lauriers blancs. Madeleine avait cette viennoiserie dans le collimateur depuis le début du repas, même après qu'elle eut enfourné un petit pain au chocolat et un croissant aux amandes. Yvon la surveillait, un sourire canaille dissimulé sous la serviette de table qu'il portait régulièrement à la bouche. Comme il aimait la gourmandise de Madeleine ! Une immense bouffée de tendresse l'envahissait chaque fois qu'il voyait les yeux avides de sa femme devant une gâterie, ou ses narines frétillant à l'arôme d'aliments convoités, ou encore sa bouche salivant à l'appel de la nourriture désirée. Oh ! Il la grondait bien un peu, mais c'était pour la forme, histoire de lui montrer qu'il avait à cœur la santé de ses artères.

Madeleine fixait la brioche depuis un bon moment lorsqu'elle avança la main en regardant son mari à la dérobée. Il fit mine de s'intéresser aux occupants de la mangeoire pour lui laisser le champ libre. Elle se dépêcha de happer la brioche et de mordre allègrement dedans. Yvon la regarda aussitôt et, le doigt pointé vers elle, il lui lança joyeusement :

– Ah, ha ! Je te prends la main d...

C'est à ce moment que Madeleine piqua du nez dans son assiette, la brioche entre les dents. Il eut d'abord un petit rire nerveux tandis qu'il sermonnait gentiment sa femme :

– Madeleine, arrête ça. C'est pas drôle.

Voyant qu'elle ne bougeait pas, il la secoua doucement. Lorsque le bras de sa femme glissa mollement le long de son corps, il comprit qu'une chose terrible venait de se produire. Il l'allongea aussitôt par terre et lui fit le bouche-à-bouche en répétant son nom. D'abord d'une petite voix à bout de souffle, comme un amant inquiet qui se donne du courage. Puis d'une voix autoritaire, comme un amant accablé qui cherche à reprendre pied. Et enfin d'une voix plaintive sortant des entrailles comme un amant désespéré, incapable de réprimer plus longtemps sa douleur.

Yvon eut de la difficulté à croire que sa Madeleine était morte. Le petit rire nerveux qui l'avait agité lorsqu'elle était tombée, foudroyée, le secoua encore plusieurs mois après l'enterrement de sa femme. Ce décès, ce n'était pas sérieux ! Cinquante-sept ans, c'est beaucoup trop jeune pour tirer sa révérence. Lorsqu'il comprit qu'il n'y avait pas eu d'erreur sur la personne, Yvon parla d'une bavure de la nature, d'un malheureux accident de parcours. Peu porté sur l'introspection ni la religion, il ne se posa pas de question sur le sens de la vie et de la mort. Homme d'action, il se dit qu'il lui fallait à tout prix profiter de l'existence, malgré le grand vide laissé par le décès de son épouse. Et puis, il lui restait ses fils et son petit-fils. La vie continuait et il en faisait partie. Voilà ce qui importait !

Il en allait autrement avec le décès de Louis. Que son fils disparaisse à l'âge de quarante ans était un scénario inconvenant pour ce père pragmatique. Les parents partent les premiers. Il n'y a pas d'alternative possible. Cette bévue inacceptable de la vie, une deuxième erreur en l'espace de quelques années, le déstabilisait. Bien plus qu'il ne voulait l'admettre. La vie continuait et il en faisait partie. Soit ! Mais il était moins d'attaque pour affronter cette vie si fantasque qui s'obstinait à multiplier de telles incohérences.

Lui qui n'avait jamais réfléchi au destin des êtres humains après leur mort se demandait à présent si Louis pouvait le voir et l'entendre. Il s'était même senti épié lorsqu'il avait fait l'amour à Isabelle, le lendemain de la disparition de son fils ; une façon de se prouver que lui, il était encore vivant. Sans doute un réflexe de culpabilité, se disait-il. N'empêche ! Le malaise ne cessait de s'amplifier. Il lui arrivait de se retourner brusquement, croyant percevoir une présence derrière lui. Cela s'était encore produit le matin même, alors qu'il préparait son petit déjeuner. Le sentiment d'un corps collé au sien, d'un souffle caressant son cou, d'une main frôlant son épaule... Mais pas n'importe quel corps, n'importe quel souffle, n'importe quelle main. Non ! Le corps filiforme de Louis aux arômes de musc, son parfum préféré. Son souffle retenu, propre à ceux qui ne veulent pas déranger. Sa main douce, aux longs doigts effilés. C'était sa présence à lui qu'il sentait ; son énergie propre, sa façon d'être au monde.

Bien que le décès de Louis avait obligé Yvon à se poser des questions, seule sa soi-disant crise cardiaque l'avait confronté à l'éventualité de sa propre mort. Il allait y passer lui aussi, tôt ou tard, et cette idée lui devenait intolérable. Comment avait-il pu croire que la mort ne concernait que les autres ? Il se réjouissait de se retrouver seul après cette nuit mouvementée. Il avait grand besoin de ce repli intérieur, de ce silence... La voix douce et feutrée d'Isabelle à l'hôpital lui avait donné la désagréable impression d'être un enfant malade : fragile, désarmé et à la merci de son entourage.

– *Tu comprends maintenant pourquoi, au cours des dernières années, j'étais replié sur moi-même quand on se réunissait en famille ?*

– Qui a parlé ?

Yvon, jusque-là appuyé contre le muret de sa terrasse pour regarder les bateaux passer sur le canal, se retourna d'un coup sec. Personne. Personne n'était là. Évidemment ! Et pourtant, ça parlait si fort ! Les mots étaient clairs, la pensée limpide, la voix distincte. La voix de son fils, Louis.

– *Je me fermais pour mieux me protéger.*

Il se laissa glisser par terre, livide, cherchant du regard d'où pouvait provenir cette voix. On était en plein jour, dehors, nulle part pour se cacher ! Il se boucha les oreilles pour ne plus entendre.

– *Tu le prenais comme un affront, papa. Ce n'était qu'une blessure béante que je traînais comme un boulet, un mal de vivre insidieux et nécrosant.*

Yvon ferma les yeux. Il revoyait ces rencontres familiales où il étalait sans pudeur sa joie de vivre retrouvée, son corps remis à neuf, ses rencontres galantes, ses multiples projets de futur retraité bien nanti. Il se souvenait d'avoir maintes fois regardé Louis, aplati dans son coin, avec pitié et dédain. Les lunettes de guingois sur le nez, la moustache famélique, les vêtements de comptable flottant sur un corps plutôt maigre, il n'avait rien pour susciter la fierté de son père. C'était à se demander comment il avait pu mettre la main sur Isabelle. La superbe Isabelle qu'il avait perdue, comme un imbécile. Pourquoi lui avoir refusé un enfant ?

– *Peu importe la raison. Je n'en voulais pas. Cela suffit. Je ne pouvais pas faire semblant comme...*

– Comme quoi ?... comme qui ?... comme moi ?

Yvon avait murmuré ces mots, la tête baissée, les mains sur la nuque.

– Comme moi, Louis ?

Il releva les genoux et les retint pour les empêcher de trembler.

– Michel me suffisait. Ta mère voulait un autre enfant. J'ai feint l'enthousiasme.

Il releva la tête, ouvrit les yeux, fixa le ciel et dit d'un ton assuré :

– Je ne t'ai pas désiré, c'est vrai. Malgré tout, je t'ai beaucoup aimé. Et je t'aime encore.

– *Moi aussi.*

Yvon éclata en sanglots. Toutes les larmes qu'il n'avait pas versées depuis le décès de Louis s'écoulèrent en longs filets continus. Tous les pleurs qu'il avait retenus depuis la mort de Madeleine jaillirent comme l'eau d'une fontaine contrainte au silence pendant les interminables mois d'un long hiver. Toute la peur de mourir et toute celle de vivre sans Madeleine et sans Louis se déversèrent dans ces sanglots incontrôlables et sans fin.

Le cheveu hirsute, la barbe clairsemée, les vêtements fripés, Yvon partageait pour la première fois avec son fils le sentiment insupportable du mal de vivre. Il se sentait plus proche de Louis que jamais auparavant. Cette communion d'esprit dura un long moment, jusqu'à ce qu'Yvon prenne conscience que la voix s'était tue. Il en fut à la fois soulagé et attristé. Heureux de constater qu'il n'avait pas perdu la raison, il souffrait néanmoins d'être à nouveau livré à lui-même, sans plus aucun contact avec ce fils disparu.

Yvon allongea ses jambes ankylosées tout en étirant les bras devant lui. Il avait l'impression de sortir d'un long tuyau étroit, une sorte d'égout pluvial, dans lequel toute l'eau drainée l'avait lavé d'une multitude de couches d'inconscience, d'aveuglement et de dénégation. Son regard bifurqua sur la montre à son poignet, un cadeau de Louis pour ses soixante ans. Yvon avait beaucoup apprécié ce présent : boîtier en argent, cadran noir, chiffres romains blancs de bonne taille (très pratique pour un sexagénaire, lui avait dit à la blague son fils).

– Bon Dieu, dix-sept heures trente !

Il lui fallait faire sa toilette et manger une bouchée. Il voulait se rendre au salon funéraire en début de soirée. Sa crise d'anxiété l'avait épuisé et il ne s'était pas senti capable d'affronter l'épreuve de la veillée aux morts à partir de quatorze heures. Il se leva péniblement et se dirigea vers la salle de bain. Par chance, Isabelle avait pris la décision de ne pas l'accompagner. Ainsi il n'aurait pas à se composer un visage d'homme frais et dispos. Il ne devrait pas s'efforcer de dégager une allure de retraité toujours vert, sûr de lui et au moral d'acier. Ce soir-là, il serait lui-même ; un homme dont les soixante-six ans venaient de lui tomber dessus comme une averse soudaine sur un chat casanier piégé à l'extérieur.

* *
*

– La réunion du syndicat de copropriété, c'est demain soir ?

– Comment le sais-tu ?

– Donc, c'est demain soir.

Julie avait sa réponse. Elle mit sur le comptoir une casserole et des légumes, bien plus pour se donner une contenance que pour préparer le repas qu'elle mangerait seule puisque son ami soupait à l'extérieur. Denis cirait ses chaussures, face à elle.

– C'est la *gypsie* qui t'en a parlé, je suppose ? dit-il, agacé, en accélérant ses coups de brosse.

– Anne, tu veux dire ? Qui d'autre aurait pu m'en parler... T'as une idée là-dessus ?

– Cette réunion ne te regarde pas.

Denis frottait frénétiquement le bout d'une de ses chaussures.

– Anne a ajouté pour me mettre à l'aise que je pourrais m'exprimer pendant la réunion même si je n'avais pas le droit de voter.

Elle agrippa une carotte aussi orange que ses cheveux et se mit à la peler comme on écorche un lapin : brutalement, l'œil carnassier.

– Pourquoi ce n'est pas à moi que tu as remis ta procuration ?

– C'est mon condo. C'est moi qui décide à qui je donne une procuration.

Il passa un dernier coup de torchon sur le cuir, brillant comme une patinoire depuis un moment déjà. Denis rangea le cirage et se lava les mains sans dire un mot, tandis que Julie coupait rageusement la carotte en rondelles.

– Tu préfères qu'une voisine te remplace plutôt que moi ?

– Elle est la présidente du syndicat.

– Ce n'est pas à titre de présidente qu'elle vote, c'est à titre de copropriétaire.

– Justement ! siffla-t-il, prenant le même ton qu'elle. Tu n'es pas copropriétaire.

– Je le sais.

Elle lança les rondelles dans le chaudron.

– Je suis quoi, moi ?

Denis s'essuyait les mains méticuleusement.

– Tu es ma compagne, dit-il en reprenant un ton calme. Tu partages ta vie avec moi.

– Ah oui ? Mis à part les factures, dis-moi ce qu'on partage ensemble !

« Certainement pas mon argent », pensa Denis qui n'avait pas envie de commencer une discussion pourtant bien entamée. Pour alléger la situation, il lui dit calmement :

– Je travaille beaucoup.

– Et les loisirs ? On ne fait aucune activité ensemble à part baiser.

Julie continuait à le confronter avec agressivité en jouant nerveusement avec le couteau. Denis perdit patience.

– Je n'ai pas de temps à perdre avec des loisirs si je veux percer sur le marché international du pédalo.

Il fulminait.

– La mort de mon conseiller financier prouve que chaque minute compte dans la course pour arriver au sommet.

Denis jeta sur le comptoir la serviette qu'il tenait toujours dans ses mains.

– Tu veux mourir d'une crise cardiaque comme lui ? cria-t-elle en plantant dans la planche le couteau qui fit un drôle de bruit.

Elle avait poignardé la serviette sans s'en rendre compte.

Sur ces mots, il sortit de la cuisine en marmonnant :

– La mort, j'en fais mon affaire. Ça se déjoue, comme tout le reste !

Julie n'en revenait pas. Fallait-il qu'il soit niais pour dire de telles énormités ! Les hôpitaux sont remplis de malades qui avaient joué aux plus fins avec la mort et qui avaient perdu. Elle côtoyait même des mourants dont le déni se poursuivait jusqu'au tout dernier instant. Denis ouvrirait peut-être un jour les yeux sur cette réalité. Elle se demandait cependant si elle avait envie d'être là quand cela se produirait.

Denis revint dans la cuisine en enfilant son veston.

– Il faut que je parte, sinon mon client va arriver avant moi au restaurant. Ça part mal un souper d'affaires.

Assommant la casserole avec le couvercle, Julie, de plus en plus cynique, éjecta ce qui était moins une question qu'un soupçon :

– Et elle brasse de belles grosses affaires, *ton* client ?

– Tu ne vas pas te mettre à être jalouse !

Il s'approcha d'elle et, comme à l'accoutumée, il lui lécha la joue en faisant mine d'avaler quelques-unes de ses taches de rousseur.

– C'est une soirée importante. Je rencontre un gros investisseur.

– Encore une fois, je sais, répondit-elle sèchement en s'essuyant le visage.

Il lui caressa les cheveux, tourna les talons et galopa jusqu'à la sortie. Il ne voulait être en retard sous aucun prétexte. Le souper d'affaires, c'était vrai. Un investissement de la part de ce partenaire potentiel pourrait lui ouvrir les portes de l'Amérique entière.

Le mensonge ne débuterait qu'après le repas, alors que Denis retournerait dans ce club chic du centre-ville où il avait rencontré une plantureuse avocate une semaine auparavant. Ils s'y étaient redonné rendez-vous en fin de soirée. Il avait déjà réservé une chambre dans un hôtel luxueux. Ses dollars, les charmes de sa compagne et le champagne de l'hôtel lui assureraient quelques heures d'intense plaisir.

« Est-ce que je suis encore bien avec lui ? » se demandait Julie en regardant partir Denis. Elle avait espéré profiter de cette belle soirée de juin avec son amoureux. Pouvait-elle seulement parler d'amour pour qualifier leur relation ? Elle se sentait terriblement déçue. Cette désillusion serait à engranger avec toutes les autres, accumulées depuis deux ans. Fréquenter cet homme sûr de lui et fonceur avait pourtant beaucoup stimulé Julie, au début. À son contact, elle avait développé l'assurance et le bagout qui lui manquaient cruellement. L'âge de Denis comptait également parmi ses atouts. Les douze années qui les séparaient permettaient à Julie de faire une entrée discrète dans le monde des adultes tout en l'autorisant à demeurer à jamais la *jeunette* du couple.

Forte de cette nouvelle assurance et de la certitude de la pérennité de sa jeunesse, Julie s'était lancée dans l'apprentissage de la salsa, essayant sans succès d'y intéresser Denis. Elle lui avait alors suggéré de faire de l'équitation ensemble. Après avoir essuyé un refus catégorique, elle lui avait proposé de suivre des cours de natation en couple :

– Un constructeur de pédalos doit savoir nager ! avait-elle dit, feignant une bonne humeur excessive.

– Pas nécessaire ! Je construis des pédalos insubmersibles.

Denis demeurait intraitable.

– Wow ! Quelle excuse ! avait renchéri Julie en riant d'un rire forcé. Est-ce que tu te défiles parce que tu as peur de l'eau ?

Elle jouait la coquine, tablant sur l'orgueil de son conjoint.

– Ou bien parce que tu crains de ne pas pouvoir apprendre à nager ?

Piqué au vif, il avait serré les mâchoires en niant les prétentions de son amie avec de furieux mouvements de tête. Après quelques instants de flottement, il s'était exclamé :

– Eh ! Ça me donne une idée pour une pub. Avec les pédalos Denis Chaumette, inutile de savoir nager ! Nos pédalos le font pour vous. À tout coup !

Il regardait Julie, absolument découragée.

– Ou bien... Denis Chaumette a tellement confiance en ses pédalos qu'il refuse d'apprendre à nager pour vous le prouver !

– Tu ferais mieux de te payer une agence de pub. Tes slogans ne feront pas fructifier tes affaires, dit-elle, en abandonnant la partie.

Prenant parti de son avantage, Denis avait ajouté :

– Mes slogans peut-être pas, bien que j'en doute, mais ta présence dans mes soirées d'affaires, si.

C'est ainsi que Julie avait décidé d'accompagner Denis dans quelques soirées dictées uniquement par les intérêts financiers qu'elles pouvaient procurer à ce dernier. C'était une façon pour elle de se rapprocher de son ami. Ce fut un bide total ! Ces mondanités soulignèrent au trait rouge l'abîme qui les séparait. Denis adorait ce monde de complets-cravates marine et chemises bleues assorties. Plutôt de style souliers plats et robe paysanne vert pomme s'harmonisant avec ses yeux, Julie donnait l'impression de porter un déguisement chaque fois qu'elle enfilait des vêtements BCBG. Et puis, contrairement à Denis, elle détestait parler pour ne rien dire. Faire la conversation en pelletant du vide est un art, et selon toute évidence, Julie n'était pas une artiste. S'appuyant sur son assurance nouvelle, elle avait donc décidé de ne plus accompagner son ami à ce genre de soirée, alléguant qu'elle était bien plus une nuisance qu'un atout pour lui. Denis avait dû penser la même chose puisqu'il n'avait pas insisté. Julie s'en trouva froissée, mais s'abstint de passer tout commentaire, piégée dans ce dilemme.

Après cet échec cuisant, Julie s'était demandé sérieusement ce qui la retenait auprès de Denis. Il n'aimait pas le cinéma, ni la danse et encore moins le théâtre. Une heure passée dans un bistro à siroter un café au lait était du temps volé à l'expansion de son entreprise. Se promener dans la nature en se tenant la main relevait des romans à l'eau de rose, un genre littéraire qu'il exécrait, ce genre-là comme tous les autres d'ailleurs ! Leur seul point de convergence se situait quelque part entre la tête et le pied du lit. Sexuellement, ils étaient faits l'un pour l'autre. Denis, un amant exceptionnel, s'esquintait à prouver sa virilité à sa partenaire qui s'en amusait tout en s'en délectant avec avidité.

– Oui ! Mais cela ne remplit pas une vie ! se dit Julie à haute voix en retirant le couteau enfoncé dans la planche à dépecer, seule au beau milieu de la cuisine.

Une fois de plus laissée à elle-même, elle tourna en rond dans la pièce en faisant mine de préparer son repas. Puis, lasse de ce manège et quelque peu nauséeuse, elle se rendit dans le séjour sans trop savoir pourquoi. Elle s'assit sur le canapé et feuilleta un magazine de décoration qui traînait sur la table à café en essuyant de nouveau la joue que Denis avait léchée avant de partir. Incapable de s'intéresser aux articles qui défilaient devant ses yeux, Julie se releva, replaça les rideaux devant la fenêtre et l'ouvrit plus grande en regardant dehors. Une auto de luxe cherchait à se garer. Il s'agissait d'un bolide aux formes exceptionnelles, sûrement de conception italienne. Il aurait manifestement plu à Gadget. C'est ce genre de voiture que Julie avait voulu lui louer pour ses quarante ans.

Gadget ! Voilà une relation qui avait toujours tenu ses promesses. Bien sûr, elle et lui se voyaient rarement et toujours dans des circonstances de fête, mais le plaisir d'être ensemble ne s'était pas affadi avec le temps. Lorsqu'ils se parlaient au téléphone ou qu'ils se rencontraient, ils retrouvaient rapidement la complicité qui avait caractérisé leur relation amicale, à l'époque du cégep. À l'évidence, ils adoraient cultiver la mémoire du passé.

Ils avaient fait l'amour ensemble une seule fois, un peu avant qu'elle n'habite avec Denis. Gadget vivait des déboires sentimentaux. Elle cherchait à le consoler. Deux copains de longue date qui baisent ensemble dans le but de raccommoder ce qu'une tierce personne a brisé, ça débouche nécessairement sur une partie de jambes en l'air pas carrément désagréable, mais pas agréable non plus. Neutre, voilà qui aurait le mieux qualifié leurs ébats. Neutre, avec un petit goût de *n'y-revenez-pas*. Gadget lui avait d'ailleurs dit le lendemain, au petit déjeuner, sur un ton qui implorait presque une réponse affirmative :

– Hier, c'était un accident de parcours, n'est-ce pas ?

– Il s'est passé quelque chose ? Je ne m'en souviens pas.

Ni l'un ni l'autre n'avait jamais reparlé de cet incident et leur amitié avait survécu, sans doute parce qu'elle durait depuis longtemps. Peut-être aussi parce qu'elle se pratiquait à intervalles éloignés. La relation s'était poursuivie comme avant. À une exception près. Toute marque de tendresse avait disparu ; plus de promenade bras dessus, bras dessous, plus de mains dans les cheveux pour les ébouriffer, plus de bras enserrant une épaule...

Cela avait manqué à Julie, surtout qu'avec Denis, la tendresse n'était jamais au rendez-vous.

« Et si j'allais au salon funéraire, dire bonjour à mon ami ? » se dit Julie qui fixait toujours le bolide italien rouge. Enhardie par cette idée, elle marcha d'un pas rapide jusqu'à sa chambre et se dirigea vers le placard pour choisir des vêtements. En ouvrant la porte, elle eut un flash qui la figea sur place. Elle vit un cercueil dont le couvercle ouvrait sur un Gadget momifié.

– Non ! Je maintiens ma première idée. Je n'irai pas au salon pleurer sur quelqu'un qui n'a plus rien à voir avec celui que j'ai connu.

Elle enfila un pantalon sport rayé vert et orange assorti à la fois à ses yeux et à ses cheveux, se mit du mascara et se rendit sur la terrasse du bistro où travaillait Anne. Julie savait que sa voisine n'y serait pas et c'est précisément pour cette raison qu'elle s'y installa. Non parce qu'elle ne l'appréciait pas – elles s'entendaient très bien toutes les deux – mais parce que ce soir, elle avait envie de manger en tête-à-tête avec son ami Gadget. Dans les circonstances, il tolérerait mal qu'on vienne perturber leur intimité. Elle commanda un saumon poché et un verre de chablis bien frais, le repas préféré de son ami. Après le souper, ils iraient découvrir les nouveaux gadgets de la boutique de Formule 1 située à quelques rues du restaurant. Et demain...

Demain, elle irait à la réunion du syndicat de copropriété, que cela plaise ou non à Denis. Elle donnerait son avis sur les problèmes à régler, à défaut de pouvoir voter. Elle allait foncer comme Gadget, quitte à y perdre des plumes. Celles qui resteraient accrochées à sa carcasse, elle pourrait au moins s'y fier.

* *
*

Porte vitrée fermée à clé, lumières éteintes... Anne s'était-elle trompée de salle ? Elle retourna dans le hall d'entrée où le préposé lisait le journal du quartier. Il lui assura qu'elle s'était dirigée vers le bon salon en la regardant par-dessus ses lunettes de lecture. Il ajouta aimablement, mais avec fermeté :

– Le salon est fermé pour la période du souper.

Anne fit signe qu'elle le savait.

– Revenez dans une heure.

– Je ne pourrai pas y être.

Le visage défait, elle hasarda :

– Vous ne pourriez pas m'ouvrir ? D'ici dix ou quinze minutes, je serai partie.

– Ce n'est pas la politique de la maison.

Il tapotait sur le comptoir avec son journal.

– Je comprends.

Elle fit quelques pas vers la sortie en murmurant :

– J'avais tellement besoin d'aller dire au revoir à un ami.

L'homme la regarda en pétrissant les clés qu'il avait dans sa poche. Il ne pouvait se permettre d'outrepasser le règlement auquel les visiteurs avaient toujours du mal à se plier. Il replongea dans son journal en cherchant à s'absorber dans la lecture d'un article sur l'ouverture d'une usine de mise en conserve de petits pois, sujet pour lequel il n'avait aucun intérêt. Il détestait les petits pois. Il leva les yeux à nouveau, au moment où la visiteuse ouvrait lentement la porte d'entrée. Sensible au chagrin de cette femme et rempli du pouvoir que lui conféraient les clés qu'il n'avait pas cessé de tripoter, il finit par se dire qu'il pouvait bien faire une entorse. La dame compensait pour tous ceux qui ne rendaient visite aux morts que pour la forme.

– Madame ? s'écria-t-il, en se dirigeant vers elle.

Anne se retourna. Il lui dit à voix basse :

– Suivez-moi.

Elle obéit sans dire un mot. Il déverrouilla la porte en bombant le torse, alluma et s'éclipsa en chuchotant de manière solennelle :

– Avisez-moi lorsque vous partirez.

Anne hocha la tête et entra dans la pièce. Une fois seule, elle referma la porte, éteignit la lumière et alla s'asseoir près d'une fenêtre diffusant une clarté douce et ouatée. Son regard survola la profusion de fleurs qu'on avait étalées en avant – bouquets sobres et classiques, gerbes surchargées, arrangements minimalistes – avant de se poser sur l'urne, le temps d'un cillement nerveux. Ses yeux s'immobilisèrent enfin sur une photo de son ami déposée sur un tréteau. Coconut souriait, appuyé contre un érable immense enjolivé d'un gros cœur peint en rouge percé d'une flèche gravée dans sa chair et d'une balançoire suspendue à une branche projetant en avant ses feuilles. Elle venait de trouver son interlocuteur et le fixerait jusqu'à ce qu'elle quitte la pièce.

Le silence, d'abord lourd et oppressant, se fit graduellement plus léger et amical. Il se transforma jusqu'à devenir joyeux, chaleureux, complice. Ce n'est qu'à ce moment, après quelques minutes d'apprivoisement, que des images se mirent à défiler devant les yeux d'Anne. Leur rencontre au bistro deux ans et demi auparavant... Les balades en voiture dans les Laurentides... L'observation des colibris venant à l'abreuvoir que Coconut leur avait installé, lui, assis sur la balançoire suspendue à une branche de l'érable majestueux planté derrière le chalet, elle, étendue sous ses feuilles... Les bonnes bouffes qu'elle et Benoît lui préparaient.

– La prochaine fois, viens avec une copine ! avait un jour proposé Anne, pendant un gueuleton, pour le plaisir de partager un repas à quatre, mais surtout par curiosité.

Elle se demandait quel type de femme pouvait bien attirer Louis...

– Je n'ai pas de blonde, avait-il répondu en essuyant sa moustache avec une serviette de table.

– Alors une maîtresse suffira ! avait ajouté Anne, l'air espiègle, en triturant ses boucles noires.

– Je n'en ai pas non plus.

– Tu dois bien baiser de temps en temps.

Benoît l'avait regardé, sourire en coin, pendant qu'il lui faisait ce commentaire.

– Oui. Mais elles passent si vite dans mon lit que je n'aurais pas le temps de les inviter à souper chez vous une semaine plus tard.

Tout le monde avait ri.

– Oh, j'ai pour ami un don Juan, collectionneur de femmes ! blagua Anne, absolument incapable d'imaginer Coconut en coureur de jupons.

– Je n'ai pas dit que plusieurs femmes passaient dans mon lit. J'ai dit que celles qui y passaient le faisaient très vite.

Louis avait pris une gorgée de vin, savouré une bouchée de l'excellent repas posé devant lui et mordu dans un quignon de pain avant d'ajouter :

– Et tu sais pourquoi ?

– Parce que tu les jettes comme de vieilles chaussettes ? avait suggéré Benoît, sur un ton badin.

– Ce sont elles qui me jettent, avait-il conclu sans état d'âme.

Voilà un exemple du rituel des soupers à trois que tout le monde appréciait : Coconut, parce qu'il adorait cette chronologie des gestes quasi chronométrée dans le cadre d'un événement survenant à intervalles réguliers. Anne, parce que ça la sécurisait de voir qu'elle pouvait toucher à une certaine permanence et qu'elle en éprouvait du plaisir. Et Benoît, parce qu'il arrivait à faire sa niche dans l'univers autrement instable de son amoureuse.

Ces moments agréables masquaient tout de même les causes pouvant expliquer la solitude de Louis. Ce dernier avait entrouvert la boîte de Pandore, un jour où Anne et lui s'adonnaient à un autre rituel : le concours de balançoires. En fait, il s'agissait moins d'un rituel que d'une habitude... irrégulière. Dès qu'ils voyaient des balançoires, dans un parc de Montréal ou au chalet dans les Laurentides, ils ne pouvaient s'empêcher de les monopoliser. Le jeu consistait à se balancer le plus haut possible sans tomber de la planchette. Anne y trouvait de doux relents de la petite élève qui passait toutes ses récréations sur les balançoires de l'école. Louis revivait ses escapades d'enfant dans un parc près de chez lui, accompagné de sa mère et de son frère. Le hic, c'est qu'ils ne pouvaient s'adonner à ce loisir qu'à la belle saison. De plus, les promenades à Montréal ou les escapades au chalet se comptaient sur les doigts d'une main, chacun ayant sa propre vie à mener.

Ce jour-là, Anne et Louis étaient arrivés à compresser leurs obligations respectives afin de s'offrir une virée pédestre dans les rues de Montréal. Traversant un parc richement pourvu d'équipements de jeu pour enfants, ils ne purent résister à l'appel des balançoires. Coconut gagna le premier set, après que sa balançoire eut atteint des sommets vertigineux. Assise sur sa planchette, les deux pieds au sol, Anne en eut le souffle coupé :

– J'ai cru que tu allais t'envoler !

– Moi aussi, dit-il, souriant.

Il ajouta, toujours pince-sans-rire, en sautillant sur son siège :

– Je viens de trouver la façon de m'envoyer en l'air !

Anne hésita un instant, puis brisant le pacte du silence qui existait entre eux, elle lui demanda :

– Ça fait longtemps que t'es seul ?

Louis la reluqua, un soupçon de reproche au fond des yeux. Elle soutenait son regard, empathique. Il soupira en hochant la tête, un pâle sourire au coin des lèvres. Succombant enfin à l'entêtement bienveillant de sa copine, il laissa tomber :

– Depuis que je ne vis plus avec ma femme.

Anne releva les sourcils d'un air étonné. Tout à coup conscient de son erreur, Louis ajouta rapidement :

– Je veux dire... mon ex-femme.

Il fit une pause avant de conclure en faisant pivoter la balançoire comme une vis qu'on enfonce dans le bois :

– Je n'ai plus envie de m'attacher.

Anne se balançait doucement. Ses pieds frôlaient le sol de terre battue soulevant de petits nuages de poussière qui se déposait sur ses pieds à demi couverts par ses sandales aux fines lanières.

– C'est elle qui t'a laissé ? demanda-t-elle, surfant sur sa chance d'obtenir des réponses à ses questions longtemps retenues.

– Non.

Louis souleva les pieds et laissa se dérouler les cordes qui s'étaient entremêlées.

– Elle voulait un enfant. Moi pas. Je ne pouvais pas faire semblant.

Il recommença à se balancer lentement signifiant de façon élégante que la discussion était close.

– Je salue ton courage, conclut Anne, soulignant ainsi l'intégrité de son copain tout en cherchant à respecter son désir de changer de sujet.

– Ou ma lâcheté, dit-il, en s'élançant à nouveau vers quelque moulin à vent avec la fougue d'un don Quichotte.

Fin de la confidence.

Dans le salon funéraire, les images disparurent. Le silence revint. Le temps passait, le bien-être prenait ses aises. Aucune exigence ne se faisait sentir de part et d'autre, aucune demande. Que de la présence consentie, assumée.

Une scène ressurgit soudain devant les yeux d'Anne ; un camaïeu d'or et de lumière. Elle se revoyait seule avec Coconut dans une grande chambre d'hôpital. Il était couché, la tête du lit en position relevée. Un soluté coulant dans ses veines, le masque à oxygène collé sur son nez, il haletait. Autour de lui, un journal éparpillé. Devant lui, la télé allumée, le son coupé. À côté de lui, Anne, assise dans un fauteuil, se tenant à la disposition de son ami. Il lui dit, essoufflé :

– J'ai de la difficulté à parler.

– Ce n'est pas nouveau, affirma-t-elle, en souriant tendrement.

Il esquissa un sourire déformé par le masque qui gênait le mouvement de ses lèvres.

– Préfères-tu que je parte ?

– Non !

L'autorité avec laquelle il avait répondu malgré son extrême fatigue signifiait pour Anne, sans l'ombre d'un doute, qu'il ne voulait pas être seul.

– Je vais fermer les yeux et me reposer un peu. Ça t'ennuie ?

– Pas du tout.

Elle avait pris un magazine qui traînait et le feuilletait machinalement. Ça parlait d'excursions en plein air, de festivals d'été, de joie de vivre... Comment la terre pouvait-elle continuer à tourner alors que Louis agonisait sous ses yeux ? Le temps aurait dû s'arrêter, suspendu au souffle fragile de son ami haletant. Le monde entier aurait dû se recueillir en silence, respectueux du destin qui s'accomplissait pour l'un d'entre eux.

Anne soupira et referma la revue. Puis, elle appuya la tête contre le dossier du fauteuil en jetant un coup d'œil à son ami. Coconut la dévisageait, le regard fiévreux. Elle réprima un geste d'étonnement avant de le gratifier d'un large sourire amical.

– Je peux t'aider, Louis ?

– Prends... les lettres... dans le tiroir, dit-il d'une voix hachurée, en montrant d'un doigt tremblotant la petite commode placée de l'autre côté du lit.

Anne se leva, ouvrit le tiroir et sortit une liasse de lettres retenues par un ruban marron, de ceux que les pâtissiers à la mode utilisent. Les enveloppes crème, affranchies, portaient l'en-tête du cabinet de comptables où il travaillait. Elles étaient adressées de la main de Louis.

– C'est pour... mes proches.

Louis haletait, de l'urgence dans le regard.

– Veux-tu...

Il ferma les yeux en mettant la main au masque comme s'il voulait aspirer plus d'oxygène que ce dernier ne pouvait en contenir.

– Tout ce que tu veux, murmura Anne en s'approchant de son ami et serrant son bras émacié tandis qu'elle attendait ses instructions.

– ...les mettre à la poste quand... quand je serai parti.

– C'est promis.

Anne regarda distraitement l'enveloppe du dessus avant de mettre le précieux paquet dans son sac : elle était adressée à Yvon Lefrançois, le père de son ami. N'était-il pas ironique que Coconut ne devienne volubile qu'après sa mort !

La jeune femme reprit sa place dans le fauteuil tandis que Louis fermait les yeux, épuisé. Il les rouvrit dix minutes plus tard en cherchant son amie du regard. Comme elle l'observait depuis tout ce temps, elle put immédiatement lui donner l'attention qu'il réclamait en silence. Elle s'assit sur le lit en enveloppant la main de Louis dans la sienne. Il lui demanda alors – c'était davantage un commandement qu'un vœu pieux – de faire autre chose pour lui.

– Éteins... la télé... Anne.

Puis, il retira avec difficulté son masque à oxygène.

– Tu dois le g...

Il lui signifia, d'un hochement de tête décidé malgré sa lassitude, de ne pas insister. Elle se tut.

– Ramasse... le... journal.

Respirant avec peine, il poursuivit tout de même :

– Descends... la tête du lit.

Anne obéit en silence. Puis elle reprit sa place à ses côtés.

– C'est maintenant... que ça se... termine.

Louis chuchotait en haletant, son corps desséché ramassé sur lui-même. Malgré sa fragilité effarante, ces mots étaient prononcés avec une telle détermination, une telle certitude intérieure, qu'ils touchaient au sublime. Anne, profondément ébranlée par l'intime conviction de son ami, posa une question ridicule. Une question dont elle connaissait parfaitement bien la réponse.

– Qu'est-ce que tu veux dire ?

Il la regarda en silence. Elle vit dans ses yeux l'éternité faire son entrée, tout doucement. Alors, elle lui céda le passage. Personne ne peut rivaliser avec un hôte d'une telle envergure. Pas même une amie dévouée. Anne prit la main que Louis lui tendait faiblement et lui murmura :

– Je t'aime, Coconut.

– Moi... aussi.

Il respirait avec peine.

– Mais assez... c'est assez.

– Veux-tu que j'avertisse ta famille ?

Il fit non de la tête. Puis, il chuchota au terme d'un terrible effort :

– Ce serait... trop difficile pour eux.

Il ferma les yeux et ajouta dans un souffle :

– Et moi... je suis pressé... de partir.

Anne caressa la main blême de Louis avec d'infinies précautions, effleurant délicatement sa peau aux veines saillantes, la striant de bleu. Confinée aux portes d'un univers qui lui était interdit, elle suivit tout de même le rythme de la respiration de son ami, déjà en apnée. Elle inspirait en même temps que lui, suspendait son souffle, puis expirait quand il faisait de même.

Inspire... Suspends... Expire...
Inspire... Suspends... Expire...

Un vent doux d'été entra par la fenêtre de la chambre, charriant avec lui des odeurs de gazon fraîchement coupé, entremêlées d'images de parcs fleuris et de balançoires virevoltant dans les airs. À chaque inspiration, Anne se voyait avec Louis, tous deux assis sur des planchettes de bois et s'élançant vers le ciel. Les balançoires s'arrêtaient au plus haut dans les airs au moment de la suspension de la respiration, puis elles redescendaient ensemble lors de l'expiration.

Inspire... Suspends... Expire...
Inspire... Suspends... Expire...

Plus les deux amis montaient rapidement dans les airs, plus ils demeuraient longtemps suspendus entre ciel et terre, et moins ils s'attardaient près du sol.

Inspire... Suspends... Expire...

Passé un moment, incapable de suspendre sa respiration davantage malgré d'incroyables efforts, Anne dut se résoudre à regarder son ami s'élever, seul, toujours de plus en plus haut, s'accrochant de plus en plus longtemps aux nuages, ne redescendant que pour un bref instant.

Inspire... Suspends... Expire...

Puis vint la seconde ultime où son ami prit un formidable élan, le plus bel élan qu'il ait jamais pris. Il s'éleva jusqu'à atteindre le firmament sous le regard admiratif de la jeune femme, émue jusqu'à l'âme. Il s'accrocha au ciel, si bien et si fort, qu'il ne redescendit plus au sol.

Inspire... Suspends...

Coconut venait de mourir. Simplement, doucement, paisiblement.

De longs frissons parcoururent le corps d'Anne, tandis qu'elle s'assoyait dans le fauteuil pour retrouver le souffle du monde des vivants. Louis, cet homme amaigri, fragilisé, démuni, qui avait passé sa vie à tergiverser, venait de sauter dans le vide sans qu'on l'y pousse. Il avait délibérément fait un choix capital, irréversible. Puis, il avait sommé la vie de respecter sa décision. Elle avait obéi. Anne venait d'assister à la mort d'un géant.

Elle regarda ce corps inerte aux extrémités déjà froides... Cette peau grise... Anne ne reconnaissait plus Coconut. Pourtant, elle sentait sa présence flottant dans la pièce. Elle s'imprégna de cette énergie qui n'appartenait qu'à lui. Elle se gava du silence majestueux, noble, grandiose dans lequel il les avait plongés tous les deux. Il n'y avait pas de place pour les larmes. Pas à ce moment-là. Le mystère s'accommode mal des épanchements trop larmoyants. Il préfère de beaucoup le recueillement respectueux.

Une fois repue, elle avisa l'infirmière de garde. Cette dernière vérifia les signes vitaux de Louis, puis communiqua avec son frère. Anne quitta l'hôpital avant que la famille n'arrive, postant immédiatement, tel quel, le paquet de lettres ficelé. Coconut pouvait lui faire confiance. Elle ne chercherait pas à en savoir plus qu'il n'avait voulu en dévoiler.

Assise au salon funéraire, Anne pleurait doucement en contemplant la photo de son ami appuyé à l'arbre au cœur rouge. Ses yeux bifurquèrent vers la balançoire esseulée qui y était accrochée. Les larmes cessèrent immédiatement de couler. Elle voulait être digne de l'extraordinaire cadeau que lui avait fait son ami avant de partir ; un ultime concours de balançoires où il avait magistralement gagné. Elle sourit. Puis, comme le temps ne s'était pas arrêté pour elle, Anne regarda sa montre. Dix-huit heures cinquante. Il fallait partir, une fois de plus avant que la famille n'arrive. Elle se leva, se dirigea vers la porte, l'ouvrit et la referma délicatement derrière elle.

* *
*

Michel, Nancy et Stéphane étaient déjà arrivés quand Yvon fit son entrée dans le salon réservé à la famille Lefrançois. Son regard fut immédiatement happé par la tenue vestimentaire de l'adolescent, s'étonnant que sa belle-fille ne l'eût pas obligé à se vêtir de façon plus convenable. En d'autres temps, il se serait formalisé de cet accroc à l'étiquette mais ce soir-là, il lâchait la bride. D'ailleurs, lui-même n'avait pas mis de cravate, chose étonnante en pareilles circonstances. Un pantalon gris, un veston marine et une chemise blanche suffisaient amplement selon lui à maintenir le décorum.

Michel s'approcha de son père.

– Tu es... seul ?

– Oui.

Surprenant le regard de son fils tourné vers la porte, il crut nécessaire d'ajouter :

– Isabelle ne viendra pas ce soir.

Michel cachait mal sa déception. Nancy, qui avait capté de loin la conversation entre les deux hommes, jubilait. Portée par cette nouvelle libératrice, elle abandonna Stéphane à deux vieilles tantes gâteuses et s'avança d'un pas léger malgré ses talons haut perchés, en jetant un regard triomphant à son mari. Puis elle serra Yvon dans ses bras, soudain compassée.

– Quelle perte, beau-papa ! Je vous offre mes condoléances.

Nancy aimait sincèrement Yvon. Il représentait tout ce à quoi elle aspirait : la réussite professionnelle, la richesse, l'élégance, la classe ! Mais elle n'était pas dupe : son peu d'instruction, son manque de culture, son corps trop *prolétaire* l'empêchaient d'accéder au club sélect des bourgeois aux airs d'aristocrates. Pourtant, son beau-père ne l'avait jamais traitée comme une gueuse. Toujours poli, il cherchait constamment à mettre en valeur ses qualités et ses bons coups professionnels. Tout le contraire de Michel, de plus en plus amer face à elle, quand il ne jouait pas carrément la carte de l'indifférence. Elle faisait pourtant de son mieux pour se hisser au niveau de son mari et de sa famille : vêtements griffés, coiffeurs réputés, maquillage étudié... Il faut bien magnifier l'emballage lorsque le cadeau ne paye pas de mine !

Quand Nancy fut mise au courant de la liaison que son ex-belle-sœur entretenait avec Yvon, elle en voulut d'abord à ce dernier. C'était un peu comme s'il la trahissait parce qu'il couchait avec son ennemie jurée. Mais au cours des jours qui suivirent, elle transféra sur Isabelle tout le ressentiment qu'elle éprouvait à son égard. La chair est faible, se disait-elle, face aux manigances d'une femme amorale ! Le fait qu'Isabelle n'ait pas accompagné Yvon au salon funéraire l'amenait à penser qu'une brèche s'ouvrait dans le couple. Une brèche que Nancy comptait bien élargir. Elle murmura donc d'une voix sirupeuse à son beau-père :

– Il vous reste Michel et moi.

Nancy lui serrait le bras en signe de réconfort, après avoir tiré sur sa veste qui avait la fâcheuse tendance à remonter sur ses hanches qu'elle avait volumineuses.

– Votre petit-fils aussi. Stéphane aime beaucoup son grand-père, vous savez.

Dans un geste inconscient, Yvon passa la main sur son bras comme pour essuyer de la guimauve ramollie qui y serait restée collée. Stéphane s'avança vers le trio après avoir entendu son nom, trop heureux de fuir sa parenté encroûtée.

– La vie continue ! dit-elle à son beau-père, toujours sur le même ton, en posant la main sur son épaule.

– Ce soir, Nancy – il se dégagea par un mouvement du corps quasi imperceptible –, ma vie, je la mets à *pause*.

Nancy enleva d'un coup de griffe rouge vif un cheveu argenté traînant sur le veston de son beau-père et le laissa tomber par terre. Une façon comme une autre de ne pas perdre la face. Stéphane s'approcha d'Yvon.

– Moi aussi grand-papa. J'ai besoin de m'arrêter pour penser à mon oncle.

Yvon le prit par l'épaule.

– Tu t'entendais bien avec Louis, n'est-ce pas ?

– Très bien.

– Parle-moi de lui, lui demanda-t-il en l'entraînant dans un coin de la pièce.

Yvon désirait connaître son fils par le prisme de quelqu'un qui l'aimait et le comprenait. Il jetait un regard neuf sur celui qu'il avait tenu pour acquis. Il cherchait à découvrir cette part de lui-même qui lui était étrangère. Assis en retrait avec Stéphane, il l'écouta parler d'un homme chaleureux, présent, enjoué, qui savait consoler et se taire.

Lorsque des copains de Stéphane vinrent l'enlever à son grand-père, Nancy prit d'assaut la place vide. Son plan consistait à alléger l'atmosphère tout en amenant Yvon sur son territoire à elle : l'immobilier.

– Et votre loft, toujours satisfait ?

Yvon la regarda d'un drôle d'air. Ce n'était certainement pas le moment ni l'endroit pour parler de cela. Puisque son instinct de bagarreur s'était dénoué en même temps que sa cravate, il déclara forfait. De toute façon, de quoi aurait-il pu parler d'autre avec elle ?

La réponse tardant à venir, Nancy prit ce silence pour un constat d'insatisfaction.

– Comme je vous l'ai déjà dit, je pourrais vous trouver un joli condo à Laval.

Elle tournait entre ses doigts aux ongles sanguinolents la lourde chaîne qui déparait son cou trapu, bien qu'elle fut en or.

– Cela vous permettrait de vous rapprocher de nous.

– Ça ne m'intéresse pas, la rive nord, laissa-t-il tomber d'un ton plus bourru qu'il ne l'aurait souhaité.

Habitué aux civilités et à la flatterie, il ajouta promptement, rusé comme toujours :

– Et si vous, vous vous rapprochiez de moi ?

Aucune réponse. Il se doutait bien que cette proposition tomberait à plat. C'était d'ailleurs pourquoi il l'avait formulée. La pharmacie appartenant à Michel avait pignon sur rue à Laval. De plus, la rive nord était le territoire que desservait Nancy et tous les amis de Stéphane habitaient ce coin-là. Yvon savait pertinemment que son fils et sa bru n'avaient jamais encaissé qu'il vende son bungalow, situé à deux pas de chez eux, pour acheter un loft à Montréal et, qui plus est, dans le sud-ouest de la ville.

Ce loft, il l'avait acheté un an après la mort de sa femme car leur bungalow était devenu inhabitable. Yvon n'arrivait plus à partager sa vie avec le fantôme de Madeleine flottant dans chaque recoin de la maison. Cela faisait trop mal. Dans la cuisine, il la voyait préparant les repas, le tablier *Fortnum & Mason*, un souvenir de voyage à Londres, noué autour de la taille. Son corps dodu s'activait entre l'évier, le four et le frigo, le visage jovial, la main heureuse. Il la surprenait dans la chambre, aspergeant d'eau de lavande les taies d'oreiller fraîchement repassées. Il la retrouvait dans le séjour, assise confortablement, la robe de chambre de tartan au ras du cou, les pantoufles en mouton réchauffant ses pieds. Elle lui demandait de bien vouloir attiser le feu avec un sourire désarmant en enfonçant davantage ses fesses dans le cuir moelleux du fauteuil. Il l'épiait dans la serre qu'elle avait fait construire *pour manger sous la neige* disait-elle, l'œil gourmand, le cœur intrépide. C'est là qu'elle bichonnait lauriers, gardénias, jasmins, cerisiers de Jérusalem et autres plantes ayant trouvé grâce à ses yeux. Il l'admirait dans le jardin, attentive aux besoins des fleurs, fines herbes, oiseaux et autres créatures vivantes qui lui faisaient l'honneur d'une visite. Il la suivait jusque sur la terrasse tandis qu'elle mettait le couvert aux couleurs de Provence. Alors, il fermait les yeux pour mieux humer les arômes de basilic et de menthe fraîche entremêlés au parfum vanillé de sa femme. Il les rouvrait l'instant d'après sur sa Madeleine, morte, le visage dans son assiette.

Yvon avait vendu la maison pour fuir cette scène d'horreur... et le jardin à l'abandon... et la serre devenue cimetière... et le séjour sans chaleur... et la chambre vide... et la cuisine caduque. Il avait acheté ce loft pour que son nouvel habitat ne lui rappelle rien de ce qu'il avait connu. Il avait un urgent besoin de réinventer sa vie, partir sur des bases nouvelles, entrer de plain-pied dans la modernité. Il voulait se secouer les puces, brasser la cage, se sentir vivant. Vivant et branché. Vivant et bohême comme ces jeunes artistes sans aucune responsabilité qui se fichent éperdument des plans de carrière, de retraite et de tous les autres plans ayant guidé la vie d'Yvon. Nancy lui disait souvent à la blague – mais d'un air condescendant – qu'il se donnait l'illusion d'être un artiste dans la force de l'âge. Ce commentaire l'horripilait mais il devait convenir en son for intérieur qu'elle avait raison.

Lorsqu'il avait invité Isabelle chez lui la première fois, six mois plus tôt, elle lui avait déclaré sans ménagement :

– Ça ne te ressemble pas.

– Mon antre de bohême ne te plaît pas ? avait-il répondu en riant, pourtant certain de l'impressionner avec cet appartement très *in*.

– Au contraire ! C'est superbe.

Elle avait jeté un coup d'œil à la ronde avant d'ajouter :

– Mais ce n'est pas toi. Tu n'as rien d'un bohême !

Cela l'avait blessé et offusqué. Une fois de plus ! Malheureusement, elle aussi avait raison. Yvon n'était ni bohême, ni artiste et surtout pas un jeune loup branché. Il n'était qu'un dentiste. Même pas ! À la retraite, on n'est plus rien.

Le plafond de son loft, il le trouvait trop haut, l'espace trop ouvert. Comment créer un cocon chaleureux dans de telles conditions ? Sa femme n'aurait pas aimé. Isabelle, si. Elle adorait cet appartement et son environnement.

– C'est génial d'habiter à cinq minutes à pied du marché Atwater ! Tu peux aller faire tes achats tous les jours, comme si tu vivais en France.

– Oui, vraiment génial, s'était-il efforcé de dire d'un air enjoué.

Le hic, c'est qu'il n'en pensait rien. Il possédait un grand congélateur et entendait bien s'en servir. C'était tellement pratique de tout avoir sous la main ! Et puis, se promener avec des sacs d'épicerie pendouillant au bout des bras, ça faisait petite misère. Oh ! il avait râlé aussi fort que ses voisins lorsque la ville avait autorisé la construction d'un supermarché en face du marché public mais, au fond, il souhaitait que le projet aboutisse. Quand le supermarché ouvrit enfin ses portes, Yvon s'y rendit, en catimini, vers vingt heures un lundi soir. Il y acheta des articles d'utilité courante : papier hygiénique, mouchoirs en papier, savon à lessive... En parcourant les allées, il cueillit au passage du pain et des œufs pour son petit déjeuner du lendemain. Il revint la semaine suivante et ajouta du fromage, du bœuf et du poisson à ses achats. Les fruits et les légumes furent les derniers à faire le saut dans son panier d'épicerie.

Yvon cacha à Isabelle cette pratique contraire à l'étiquette *branchée* de son quartier. Un jour qu'elle cherchait un rouleau d'essuie-tout dans le rangement de la cuisine, elle découvrit plusieurs sacs du supermarché, empilés dans un coin.

– Tu fais tes courses là-bas ? lui avait-elle dit sur un ton où pointait de l'étonnement et une certaine déception de découvrir le banlieusard à l'américaine qui se dissimulait dans les entrailles de son ami.

– Non ! avait-il répondu énergiquement. J'achète des tampons à récurer, du savon à vaisselle... Que des trucs qu'on ne trouve pas au marché, avait-il ajouté pour se justifier.

À compter de ce jour, se sentant coupable de vivre à sa manière, Yvon camoufla tous les aliments de marque maison en les transvidant dans des pots de verre ou de grès. Il retirait également la viande, les poissons et les fromages de l'emballage d'origine. Il expliquait la quantité importante de nourriture stockée dans le congélateur par son désir d'être paré à tout, au cas où des parents ou amis arriveraient à l'improviste chez lui.

Il espérait duper Isabelle avec ce petit manège mais il en doutait. Tout comme lorsqu'il vantait les plaisirs de la marche sur la piste bordant le canal de Lachine. Il n'y avait mis les pieds qu'à quelques reprises. La première fois, il faisait trop chaud à son goût pour qu'une randonnée pédestre soit agréable. Les autres tentatives ne se révélèrent guère plus probantes. Le froid, le vent, la pluie, la neige, autant d'écueils insurmontables aux promenades à pied.

Yvon menait une double vie. Il avait fallu le décès de Louis pour que cette tricherie l'incommode. N'était-il pas indécent de mener deux existences de front alors que son fils venait de perdre la seule qu'il possédait ? S'il n'en tenait qu'à lui, il vendrait le loft dans les plus brefs délais et achèterait un condo. Pas à Laval. Pas près de son fils Michel et de sa femme. Non. Il aurait un condo dans le Vieux-Montréal avec des murs pour séparer les pièces et des plafonds qui ne sont pas conçus pour des géants. Il aurait accès à un gym dans l'immeuble même où il habiterait. Il serait à quelques minutes du quai où était amarré son bateau. Il ferait son marché au supermarché du Complexe Desjardins à n'importe quelle heure du jour sans crainte d'être jugé. Mais il y avait Isabelle. Risquerait-il de la perdre s'il lui montrait son vrai visage, comme l'avait fait avant lui son fils disparu ?

Lorsque Yvon revint au salon funéraire après s'être perdu dans les méandres de son esprit, il se retrouva seul. Nancy s'était éclipsée après l'invitation de son beau-père à déménager près de chez lui. Une cousine par alliance qu'elle n'avait pas encore saluée et qui faisait les yeux doux à son mari lui avait donné le prétexte par excellence pour laisser Yvon à ses pensées.

Elle se réjouissait d'avoir détecté une faille dans la vie de ce dernier, en apparence parfaite. L'insatisfaction de son beau-père concernant son existence diminuait celle qu'elle éprouvait face à sa propre vie, comme si un gâchis partagé devenait moins lourd à supporter. Nancy n'était jamais à la hauteur, dans aucune circonstance, et on la faisait constamment passer en second. Du moins c'est ce qu'elle ressentait. Isabelle était la plus jolie, Michel le plus intelligent, Stéphane le plus vif, Madeleine la plus gentille et Yvon avait eu la plus belle carrière. Le seul endroit où elle excellait, c'était dans son rôle de mère. Ce n'est pas parce que cela avait mal débuté – faire un enfant dans une voiture avec un inconnu éméché manque évidemment de décorum – qu'il fallait nécessairement que cela se poursuive sur la même note ! Elle adorait Stéphane. Bien sûr, elle s'en servait à l'occasion pour se valoriser, mais n'empêche ! Elle était une bonne mère. La meilleure de la famille. « Facile ! se disait-elle les jours de grande tourmente. Je suis la seule belle-fille à avoir eu un enfant. »

Michel remarqua la mine réjouie de son épouse. Il se demandait bien ce qui avait pu lui plaire autant de sa conversation avec Yvon. Voulant en savoir plus à ce sujet et cherchant à comprendre l'absence d'Isabelle, il alla rejoindre son père après s'être excusé auprès de sa cousine décidément beaucoup trop entreprenante, même à son goût. Yvon ne lui laissa pas la chance de le questionner. Il prit les devants juste au moment où son fils s'assoyait :

– Tu connais la cause du décès de Louis ?

– Je te l'ai déjà dit, papa, répondit Michel comme à un enfant qu'on veut consoler, oubliant pour un instant qu'il s'adressait à son père. Le sida presque assurément, ajouta-t-il sur un ton enveloppant.

– Je ne veux pas savoir ce que tu penses ! admonesta Yvon, outré que son fils lui parle sur ce ton. Je veux connaître la vérité.

Michel blêmit, incapable qu'il était de voir son père contrarié à cause de lui.

– Tu as le rapport du médecin ?

– Non, marmonna nerveusement Michel en passant la main sur son crâne dégarni. Quand je suis arrivé à l'hôpital, le jour de sa mort, j'ai fait appeler le médecin qui avait constaté son décès.

Il pétrissait machinalement la cravate qu'il avait laissée à la maison.

– Il répondait à une urgence, ailleurs dans l'hôpital. Je n'ai pas voulu attendre.

Devant l'incrédulité d'Yvon, son fils s'agita. Il ajouta d'une voix chevrotante où se mêlaient un désir de se justifier et une colère sourde :

– J'ai appris que mon frère était malade au moment même qu'on m'annonçait son décès. Je suis arrivé à l'hôpital, j'ai fait demander le médecin, j'ai signé les papiers et je suis parti. Je ne pouvais pas en supporter davantage.

Michel tremblait. Des larmes s'agglutinaient à la frontière de ses yeux. Terriblement mal à l'aise, Yvon tapota l'épaule de son fils. Après un moment, il lui dit avec beaucoup de douceur :

– Et l'infirmière de garde ?

Il se reprit aussitôt voyant les épaules de son fils s'affaisser :

– Je comprends que tu ne lui aies pas posé de questions concernant l'état de son patient. Tu étais perturbé et...

– J'y ai pensé !

Michel avait relevé la tête en criant presque ces mots.

– Mais j'avais trop honte pour demander de quoi mon frère était mort.

Yvon baissa la tête, frappé de plein fouet par cette réplique.

– Crois-tu que ça a du sens, p'pa, que ni toi ni moi n'ayons su que Louis était malade ?

– S'il l'était..., murmura Yvon en sueurs, le cœur palpitant en pensant à la possibilité d'un suicide évoquée par Isabelle, la veille.

– Qu'est-ce que tu as dit ?

– Rien.

Yvon haletait.

– Ça va, p'pa ?

– Oui, oui. Juste un peu secoué par les événements.

Michel serra le bras de son père en cherchant des yeux Nancy. Quand quelque chose n'allait pas, c'est toujours vers elle qu'il se tournait. Et cette fois-là ne fit pas exception. Sa femme avait beau manquer de vernis et lui faire honte régulièrement devant ses parents, ses amis ou ses collègues, il n'en demeurait pas moins qu'il la savait forte, dévouée et attentive au bien-être de sa petite famille. Il lui arrivait d'en vouloir à Nancy pour cette sollicitude car elle savait la rappeler quand Michel se montrait odieux envers elle. Bref, ce soir-là, Nancy ne répondit pas à l'appel, trop absorbée par les propos de la cousine qui parlait en faisant de grands gestes théâtraux. Il chercha alors Stéphane, mais ce dernier avait quitté la pièce avec ses copains. Son regard se porta à nouveau sur Yvon dont le front était couvert de sueur. Michel sortit un mouchoir de sa poche et l'approcha du visage de son père. Ce dernier se leva, chancelant, en écartant le bras de son fils.

– Tout va bien, Michel. Tu salueras les autres pour moi.

– Je vais aller te reconduire.

– Non. Je t'assure, ça va aller. L'air du dehors va me faire du bien.

Il fit quelques pas, puis se retourna. Il se heurta à son fils qui l'avait suivi.

– Je peux te demander un service, Michel ?

– Bien sûr, acquiesça-t-il aussitôt, prêt à tout pour regagner l'estime de son père.

– Tu pourrais me trouver les coordonnées du médecin qui a constaté son décès ? J'aimerais lui parler.

– Oui, bien sûr, s'empressa-t-il de répondre. Mais je ne pourrai peut-être pas le faire avant la semaine prochaine. Avec le salon, les funérailles..., ajouta-t-il à regret et avec mille excuses dans la voix.

– Je sais.

Yvon prit son fils dans ses bras et lui dit à l'oreille :

– Je te fais confiance, Michel.

Yvon aurait voulu ajouter qu'il l'aimait mais l'anxiété montant de plus en plus étouffa les mots dans sa gorge. Il se dégagea et sortit précipitamment. Cette fois, Michel demeura immobile.

* *
*

Vingt heures. Benoît attendait Anne assis sur les marches du condo de son amie. Arrivé chez elle en toute hâte vers dix-huit heures, il n'avait trouvé qu'une porte verrouillée et personne derrière. Deux heures durant, il avait guetté sa venue. Il était prêt à l'attendre encore aussi longtemps et même plus s'il le fallait. Il devait la voir, prendre de ses nouvelles, lui dire bonsoir.

Lorsque Anne aperçut Benoît en tournant le coin de la rue à vingt heures quinze, son regard s'illumina. Il était venu à sa rencontre malgré une journée sûrement épuisante. Il l'attendait malgré la fin abrupte de la soirée précédente. Depuis combien de temps faisait-il le pied de grue ? À moins qu'elle ne l'interroge, il ne lui en soufflerait pas un mot. C'était dans sa nature. Décontracté dans l'âme, voilà qui était son amant.

Et cela se reflétait dans son sourire bon enfant, dans ses cheveux bouclés en désordre, dans sa chemise vert pomme aux manches retroussées qui lui donnaient un air terriblement *sexy* et dans son allure en général qu'on ne sentait jamais étudiée. La joie et le plaisir qu'elle ressentait à la vue de son ami la surprirent elle-même. En d'autres temps, elle se serait sans doute sentie épiée ou elle aurait eu l'impression que son ami grugeait son indépendance, qu'il violait son intimité.

Elle se gara devant la maison, le cœur léger. Benoît vint lui ouvrir la portière. Elle s'extirpa de sa voiture et se blottit contre lui tandis qu'il l'embrassait doucement dans le cou en relevant sa tignasse. Ce qu'il sentait bon le musc, la cannelle et le citron vert ! Il la prit par l'épaule et tandis qu'ils se dirigeaient vers la maison, Anne sentit une paix libératrice l'envahir. Ils s'assirent sur les marches profitant avec avidité et en silence de la simple présence de l'un et de l'autre. Puis, refusant de mettre des mots sur le sentiment de bien-être qu'elle éprouvait, ce type de sentiment qui fuit toujours lorsqu'on essaie de le décrire, Anne préféra parler de sa rencontre avec Louis au salon funéraire. Elle décrivit les images qui avaient défilé devant ses yeux, s'attardant sur les derniers moments de la vie de son ami, moments dont elle ne s'était pas encore ouverte à Benoît. Ainsi, une brique à la fois, elle détruisit le mur qu'elle avait érigé entre elle et son amant. Lui écoutait en silence, recueillant les briques au fur et à mesure qu'elle les lui présentait, heureux de les réduire en poussière pour ne plus jamais qu'elles se dressent à nouveau entre eux.

– Tu veux dormir avec moi ce soir ? lui demanda-t-elle doucement, après que la dernière brique eût rendue l'âme.

– Oui.

Benoît caressa la joue de son amie puis, dégageant une de ses oreilles, il lui murmura :

– J'espérais que tu me le proposes.

Ils s'embrassèrent tel un papillon qui se pose sur une fleur fragile. Ils effleurèrent ainsi leurs lèvres pendant un long moment, frissonnant au passage d'une boucle noire ou d'une boucle châtaine sur leur visage. Benoît fut le premier à retirer sa bouche. Anne lui sourit et se leva. Elle prit sa clé dans son sac à main et la remit à Benoît. Il se leva à son tour, déverrouilla la porte et lui rendit aussitôt la clé. Elle retint sa main :

– Tu peux la conserver. J'en ai une autre en réserve.

6

Denis s'éveilla de fort mauvaise humeur. Son repas d'affaires ne s'était pas déroulé comme il l'avait escompté. Il ne s'attendait maintenant qu'à des résultats mitigés. L'investisseur allait probablement financer l'agrandissement de son usine mais il n'allait certainement pas dénouer les cordons de sa bourse pour aider Denis à conquérir le marché américain. Certains commentaires de monsieur Taylor au cours de leur conversation démontraient sans l'ombre d'un doute que l'argent ne serait pas disponible à cette fin. Les paroles échangées résonnaient encore à ses oreilles.

– Je suis le champion des pédalos au Québec ! avait claironné Denis en relevant fièrement la tête comme l'aurait fait un coq arborant sa crête, au milieu de la basse-cour. Je suis maintenant prêt à attaquer le marché américain, avait-il affirmé en rajustant le nœud de sa cravate bleue constellée d'étoiles blanches rappelant subtilement, du moins le pensait-il, le drapeau américain.

– Il faut être un dur à cuire pour percer aux États-Unis, avait répondu Ronald Taylor dans un bon français teinté d'un fort accent anglais. Plusieurs ont essayé, avait-il ajouté, décrochant à son vis-à-vis le sourire ironique que les gens imbus de leur soi-disant supériorité se croient permis d'arborer. Très peu y sont arrivés.

Éperonné, Denis s'était écrié, cette fois en desserrant le nœud de sa cravate :

– Mais je suis un leader !

– Plusieurs de ceux qui ont échoué se prenaient pour des caïds, avait enchaîné Taylor en le toisant.

Puis, se faisant plus conciliant :

– Ici, vous êtes un chef de file. C'est la raison pour laquelle j'envisage sérieusement d'investir dans votre entreprise au Québec, avait poursuivi Taylor en se curant les dents tandis que Denis repoussait nerveusement les cuticules de ses ongles sous la table. Mais aux États-Unis vous ne seriez pour le moment qu'un petit lieutenant sans envergure qui pourrait me faire perdre de l'argent.

Denis arracha rageusement un bout de peau qui retroussait le long de son pouce. Il esquissa un rictus de douleur lorsqu'il se mit à saigner. Cela ne l'empêcha tout de même pas de sonner la charge dans le but de mousser son entreprise. Il prit une bonne inspiration, arbora un large sourire et lança très amicalement en triturant sa cravate :

– Donnez-moi quelques minutes et je vous prouve que vous avez tort, Ronald.

L'investisseur américain regarda sa montre, puis se leva :

– Il faut savoir mesurer les risques, *mister* Chaumette, dit-il en appuyant sur les deux derniers mots. Moi je ne mise que lorsque les conditions sont favorables. Dans votre cas, je sais que nous n'y sommes pas encore.

Il conclut, après avoir jeté un regard dédaigneux sur la cravate de Denis placée de travers sur sa chemise :

– Et ce n'est pas votre flag... flagornerie qui va y changer quelque chose.

En portant lui-même la main à sa cravate, il invita Denis à redresser la sienne, accompagnant son geste d'une moue. Puis il quitta la table.

« Votre flagornerie..., répéta Denis à voix basse en remontant le drap jusqu'au cou. Je voulais me montrer avenant, c'est tout. »

Les Américains ne comprendront jamais rien au *fair-play*. » Les Canadiens non plus, d'ailleurs ! Il y a une dizaine d'années, on avait insinué dans les milieux d'affaires que son industrie de bateaux à moteur frôlait la faillite parce qu'il avait vu trop grand compte tenu de ses capacités restreintes de gestionnaire. Absolument pas ! La faute revenait entièrement à la concurrence qui ne jouait plus selon les règles. La preuve que sa gestion n'était pas en cause : il avait réussi à sauver son entreprise malgré les coups bas, puis à la vendre avec profit. Et s'il s'était recyclé dans l'industrie du pédalo, c'était par pur souci environnementaliste. Du moins, c'est ce qu'il s'égosillait à dire car la véritable raison de cette démarche tenait en deux mots : son instinct. L'avenir serait vert... comme les billets de banque qu'il empocherait de plus en plus grâce à sa stratégie. Et tous les gens d'affaires qui ne voyaient en lui qu'un *minus habens* en prendraient pour leur rhume.

Cela dit, Denis devait tout de même se rendre à l'évidence. Ce ne serait pas cette fois-ci qu'il se propulserait vers les sommets internationaux. Il s'était donné jusqu'à quarante-cinq ans pour atteindre ce but. Voilà qu'à cinquante, il ne l'approchait même pas. Responsable ou pas de ce retard ne changeait rien au fait qu'il lui faudrait mettre au moins les bouchées doubles s'il voulait y parvenir avant l'âge de la retraite et faire un pied de nez à tous les Ronald Taylor de la terre.

Cinquante ans ! Était-ce pour cela qu'il avait lamentablement échoué auprès de l'avocate avec qui il avait rendez-vous en fin de soirée dans ce club chic du centre-ville ? Au début, tout se passait bien. La fille était belle, son décolleté prometteur, son regard provoquant, sa bouche gourmande. Assoiffée de bulles pétillant sur la langue, elle buvait goulûment, laissant parfois suinter de l'alcool à la commissure de ses lèvres. Lorsqu'une goutte de champagne glissa jusque dans le cou de la demoiselle et qu'elle gloussa de plaisir quand Denis vint la lécher, il se dit que quelques heures de plaisir voluptueux se trouvaient à portée de langue. Cette partie de jambes en l'air réussirait à mettre un baume sur son orgueil malmené.

Avant de passer à l'offensive, Denis avait voulu impressionner cette jeune femme élégante au regard intelligent en faisant l'éloge de son entreprise. Délesté de sa cravate porte-malheur, le torse bombé, il avait parlé avec emphase de ses projets d'expansion, sa main caressant les épaules dénudées de son éventuelle partenaire d'un autre genre. Il passait et repassait les doigts sur le discret tatouage bleu ornant l'épaule droite de cette dernière, représentant la balance de la justice.

– Le résultat d'un pari que j'avais pris lorsque j'étudiais à l'université, affirma Laurence, les yeux brillants d'alcool, tandis qu'elle dégageait ses cheveux bruns flottant sur ses épaules.

– Quel genre de pari peut bien amener une belle femme aussi élégante à se faire tatouer ? demanda Denis, bien plus pour flatter l'orgueil de la jeune femme – cette tactique s'avèrant toujours payante – que pour connaître son histoire dont il se foutait éperdument car depuis longtemps, il ne s'intéressait qu'à lui seul.

– J'étais convaincue que je ne terminerais pas première de ma promotion. Mes amis, si. On a parié ceci...

Elle releva son épaule tatouée.

– Et j'ai perdu... pour avoir gagné.

Denis émit un grognement qui ressemblait à un rire forcé et changea de sujet. Il n'appréciait pas qu'une femme fut à ce point intelligente et qu'elle parvienne au sommet de quoi que ce soit. Il continua donc à parler de lui et de sa réussite, insistant sur le rang de leader qu'il occupait dans le marché du pédalo. Évidemment, il se garda de relater sa récente conversation avec Taylor. De toute façon, s'étant lui-même convaincu par son discours pétri de suffisance, il n'avait plus rien d'une personne ayant subi un camouflet. Les conditions actuelles n'étaient peut-être pas favorables à l'expansion de son entreprise aux États-Unis, mais elles étaient certainement propices à la croissance du membre viril de son PDG ! Lorsqu'il proposa à Laurence de le suivre à l'hôtel, elle hésita.

– Je suis attendue à la maison.

– Tu ne m'avais pas dit que tu sortais d'un congrès de juristes ?

Denis embrassa le tatouage en frôlant de sa main le genou de Laurence.

– Oui, mais..., commença-t-elle d'une voix empâtée.

– Ces colloques-là, ça se termine toujours aux petites heures du matin, lui susurra-t-il à l'oreille. C'est comme les soupers d'affaires..., ajouta-t-il, dévoilant ainsi le prétexte qu'il avait lui-même servi à sa conjointe.

Elle finit par accepter, mais avec quelque réticence. Sans doute commençait-elle à en avoir assez de cet homme terriblement orgueilleux et ennuyeux avec ses histoires de pédalos pédalant aux quatre coins du monde. Mais il était très attirant avec sa chemise blanche au col ouvert, ses cheveux noirs aux tempes grises et sa prestance. Et puis elle avait bu. Plus qu'il ne l'aurait fallu. Tant mieux pour le désir. Tant pis pour la raison. Denis, lui, perçut l'hésitation de Laurence comme une façon toute féminine de l'exciter davantage.

En entrant dans la chambre, il constata avec soulagement que les roses jaunes et blanches qu'il avait fait livrer trônaient sur une console et parfumaient la pièce. Sa conquête aussi remarqua tout de suite leur présence.

– Elles sentent... beaucoup ! avait-elle dit en souriant maladroitement, mal à l'aise devant autant de chichi pour une baise d'un soir.

– Tu as raison ; elles embaument toute la chambre, répondit-il, fier de son coup, en avançant vers le bouquet.

– Comme au salon funéraire, avait-elle laissé tomber en s'appuyant à la porte.

Elle faisait la moue, un teint cadavérique filtrant à travers son maquillage pourtant très accentué. Il empoigna le vase, faisant vaciller les roses sur leur tige :

– Leur parfum t'incommode ? Je peux les déposer dans le couloir, si tu veux.

– J'apprécierais, avait-elle répondu sans hésitation en rouvrant la porte de la chambre.

Cent dollars de fleurs atterrirent dans le corridor au grand dam de Denis. Une fois la déception digérée, il passa à la phase deux du cours de séduction dont il était l'auteur et le principal interprète. Il fit asseoir Laurence dans un fauteuil près de la fenêtre, déboucha une bouteille de champagne qui reposait dans un seau avec de la glace, en remplit deux flûtes et en tendit une à sa compagne. Elle accepta le verre à contrecœur en articulant péniblement dans un fou rire :

– J'ai déjà beaucoup bu.

« Merde ! » pensa Denis en regrettant immédiatement de ne pas avoir acheté simplement un mousseux bien plus économique que cette *Veuve-Machin* qui se faisait tremper les pieds dans le seau. Malgré tout, il passa à la troisième étape de cette satanée entreprise de séduction.

– Un chocolat ? lui demanda-t-il obséquieusement en lui présentant tout de go la boîte de Lady Godiva qu'il avait fait porter en fin de journée. Des bulles et du chocolat : une combinaison parfaite !

Au bout d'une hésitation infinie, persillée de ricanements douteux, elle choisit un chocolat noir fourré de caramel.

En mordant dedans, elle fit gicler un filet de caramel coulant mêlé de chocolat sur sa robe bleu poudre en mousseline.

– Ah ! s'exclama-t-elle, contrariée. La tache va s'incruchter..., ajouta-t-elle, la bouche pleine.

« Ce n'est pas Julie qui ferait autant de simagrées », se disait Denis qui regardait Laurence frotter la tache avec sa salive chocolatée.

– Si tu mettais un peu de savon ?

– Non. Pas sur ce genre de tissu.

Elle regarda Denis, rit de façon ridicule, puis vida sa coupe de champagne en enfournant un second chocolat qu'elle avait pris dans la boîte déposée sur la table à côté d'elle. Lasse de ces préliminaires et effrayée de voir son désir se noyer dans les bulles et le caramel coulant, Laurence s'étendit sur le lit. Denis enleva sa veste et s'approcha d'elle. Il commença à la dévêtir. Tandis qu'il caressait ses jambes, il coinça malencontreusement le bracelet de sa fausse Rolex dans le bas de nylon de la jeune femme, retenu par un porte-jarretelles. Lorsqu'il finit par se déprendre, il laissa derrière son passage un trou duquel partaient deux grosses mailles bien visibles. Laurence riait jaune.

Une fois les bas et la robe enlevés, il s'attaqua au soutien-gorge. Du coup, tous les fantasmes de poitrine rebondie s'effondrèrent. Les balconnets se révélèrent rembourrés au maximum. Sa taille, ses hanches, ses fesses tenaient cependant leurs promesses bien que la cellulite y avait élu domicile. Plus que sur le corps de Julie, se dit Denis, déçu.

Denis la caressa longuement pour permettre à sa verge de se gorger de sève. Son pénis qui avait toujours répondu rapidement à l'appel éprouvait inexplicablement des problèmes à se dresser. Il réussit enfin à la pénétrer avec son membre néanmoins mollasse. Laurence se tortilla sous lui en cherchant sans grande conviction à faire bander davantage son partenaire. Puis elle l'abandonna à son désarroi et finit par jouir non sans avoir mis elle-même la main à la pâte en pétrissant son clitoris avec ses doigts collants de caramel. Denis, lui, de guerre lasse, déclara forfait et s'allongea près d'elle. Il mit cette défaillance sur le compte du champagne, de la fatigue et du stress résultant de son repas d'affaires.

En se tournant sur le côté pour reprendre son souffle, la jeune femme eut la nausée. Une nausée si soudaine et si violente qu'elle n'eut pas le temps de se rendre aux toilettes. Elle vomit abondamment sur le lit, éclaboussant au passage le sexe de Denis. Elle se confondit en excuses avant de courir se réfugier dans la salle de bain. Il s'essuya du mieux qu'il put avec des mouchoirs en papier, puis il roula les draps en boule et les jeta par terre en faisant tomber la boîte de chocolats qui volèrent aux quatre coins de la pièce. Il ramassa quelques chocolats tombés à ses pieds puis il s'écrasa dans un fauteuil, hébété.

Laurence sortit vingt minutes plus tard de son antre, livide. Elle récupéra nerveusement ses dessous sous le regard ahuri de Denis, remit promptement sa robe tachée, enfila ses bas de nylon troués en se demandant pourquoi elle se donnait cette peine, chaussa ses escarpins et décampa après avoir glissé sur un chocolat praliné et s'être frappé la tête contre le chambranle de la porte.

Denis prit une douche pour faire disparaître toute trace de vomissure sur son corps. De toute façon, c'est ce qu'il faisait toujours après ses escapades galantes. Il craignait que l'odeur de sexe et du parfum de sa partenaire ne révèle ses infidélités à Julie. Fuyant cette chambre et ses relents de vomi, il partit sans regarder derrière lui, ni devant d'ailleurs, car il fit tomber le vase de roses déposé plus tôt dans le corridor par ses bons soins.

Il se demanda si son amie travaillait cette nuit-là. Il ne prit aucun risque et entra dans l'appartement sans faire de bruit. Cette fois-ci, il se sentait incapable d'affronter le regard décapant de son amie. Il se glissa dans le lit où Julie dormait à poings fermés. Du moins, c'est ce qu'il croyait.

Il ne réussit pas à trouver le sommeil. Cette soirée puait l'échec et Denis ne pouvait le supporter. La veillée au mort de la prochaine soirée n'allait pas lui remonter le moral non plus ! N'y a-t-il pire échec que la mort ? Louis avait échoué lamentablement en mourant si jeune. Voilà sans doute pourquoi Denis pensait de façon aussi lancinante à son conseiller financier qui n'était autre... que son comptable. Comme il était bien plus prestigieux d'avoir à son service un conseiller pour voir à ses finances, complexes et florissantes, Denis avait affublé Louis de ce titre dès la première année de leur relation professionnelle. Ce dernier ne s'en formalisait pas. « Du moment que tu es satisfait de mon travail, le reste n'a pas d'importance », disait Louis en riant lors de rendez-vous informels, que ce soit dans un restaurant chic ou attablés à un bar branché du centre-ville. D'ailleurs, ces rencontres s'étaient toujours révélées stimulantes et efficaces. Les conseils de Louis, justes et éclairés, son assurance, sa rapidité d'exécution qui ne souffrait aucune hésitation et son sens inné du *timing* avaient forcé le respect de l'entrepreneur. Mais cela ne justifiait pas qu'il soit obsédé par sa disparition.

Denis se tourna sur le côté en ramassant en boule son oreiller. La place de Julie était maintenant vide. Sans doute s'était-il assoupi au milieu de ses pensées. Cela expliquerait pourquoi il n'avait pas remarqué qu'elle s'était levée. Le manque de Julie se fit sentir. Il en fut étonné car jamais auparavant il n'avait souffert de son absence passagère. Et pour cause ! Il vivait en célibataire même s'il partageait son appartement avec une compagne attitrée. Si ce choix était clair pour lui, il ne l'avait pourtant jamais exposé aussi explicitement à la principale intéressée. Comment faire comprendre à une femme qu'on a besoin d'être libre, d'avoir les coudées franches, de faire ce qu'on veut quand on le veut, de tout contrôler sans avoir à demander son avis à qui que ce soit... D'être un homme, quoi ! Par contre, lorsque cet homme est en plus un entrepreneur de sa trempe, il se doit d'avoir une stabilité sociale. Cela fait de lui un interlocuteur plus sérieux. C'est meilleur pour les affaires. D'où l'importance de Julie dans sa vie.

Bien sûr, Denis aurait préféré que Julie soit une escorte parfaite, sinon potable, lors des réceptions d'affaires auxquelles conjoints et conjointes pouvaient assister. Par chance, ces occasions se faisaient plutôt rares et il avait encore quelques bonnes excuses à refiler avant que des rumeurs ne courent au sujet d'un éventuel échec amoureux. Il trouvait même un côté plutôt positif à l'absence de sa compagne dans ce type de rencontre : pas de fil à la patte pour entraver ses démarches tant professionnelles que libertines. De toute façon, pour lui, aucun type de réunion n'était propice à une sortie en couple. Par exemple, Denis n'aurait jamais voulu que Julie côtoie ses amis. Le fait qu'il n'en avait aucun – on ne devient pas un leader international en fréquantant ses amis – ne changeait rien à l'affaire : les rencontres entre gars, c'est sacré. Quant aux amis de Julie, et ils étaient légion, il n'en avait cure. Ceux qui appartenaient au milieu de la santé ne parlaient que de maladie et de misère humaine. Cela l'agaçait au plus haut point. Trop défaitiste, tout ça. Quant aux autres, ils ne semblaient pas plus intéressants ; notamment ce Gadget dont elle disait quelques mots à l'occasion. Trop tête folle. Rien à voir avec Louis, cet homme à la tête bien vissée sur les épaules et les pieds solidement ancrés dans la réalité.

Denis caressa le drap encore imprégné du parfum de son amie, une odeur à la fois rassurante et stimulante de muguet, relevée d'un zeste de pamplemousse. Une fragrance apaisante et joyeuse comme Julie. Sans être la compagne idéale, il n'en demeurait pas moins qu'elle possédait de nombreuses qualités qui prenaient le devant de la scène en ce lendemain de veille désastreux. Une beauté discrète avec une peau de porcelaine parsemée de taches de rousseur, des cheveux roux lumineux, un corps aux rondeurs confortables. Une intelligence pratique, un humour bon enfant, un caractère facile et, par-dessus tout, elle l'aimait ! De façon inconditionnelle, assurément. C'était d'ailleurs son plus grand mérite, selon lui. Il était sécurisant de penser que des pannes d'érection comme celle qu'il avait connue la nuit précédente ne réussiraient jamais à éloigner Julie qui l'aimait pour l'homme hors du commun qu'il était et non pour le sexe qu'il lui procurait.

Que ferait-il si elle disparaissait ? Denis ne se serait jamais posé ce genre de question avant le décès de Louis. Pourquoi avait-il fallu qu'il meure, celui-là ? À quarante ans, par-dessus le marché ! Tout simplement parce qu'il avait tiré le mauvais numéro. Denis Chaumette, lui, partirait à cent ans, encore vert, après avoir recouvert de pédalos tous les plans d'eau de la planète. Mieux encore, il ne mourrait jamais, son nom entrant dans la postérité.

– Il faudrait que tu sois encore propriétaire de l'entreprise à ta mort, lui avait dit Louis en riant, un soir que Denis s'était emballé après avoir avalé plusieurs scotchs en rafale.

– J'y compte bien.

– Et si la succession se dépêche de vendre Les pédalos Denis Chaumette ?

– Mon fils sera fier de reprendre le flambeau.

– Ton fils ? releva Louis, ses lunettes lui glissant sur le bout du nez d'étonnement. Je ne savais pas que tu avais un enfant.

– Moi non plus.

Il s'esclaffa en commandant une autre tournée, à la manière d'un mafioso faisant une démonstration de pouvoir à l'intention de son entourage.

– Tu devrais arrêter de boire, Denis, conclut Louis, cherchant à ramener subtilement à l'ordre son client par trop prétentieux. Sinon tu vas te retrouver avec une demi-douzaine d'héritiers imaginaires qui vont s'entredéchirer pour diriger ton entreprise !

Quel homme rempli d'humour, ce Louis ! N'empêche, il avait mis le doigt sur un problème réel qu'il faudrait bientôt régler. Pour bâtir une dynastie, on doit se mettre au lit... Avec Julie. Ce genre de femme, discrète, maternelle, sensée, au service des autres, c'est de l'excellente graine de maman ! Denis se leva et partit à la recherche de la future mère de ses enfants dans les différentes pièces de l'appartement. Dans la cuisine, il vit une note déposée sur le comptoir. « Ça ne fera pas des enfants forts ! » se dit-il, sarcastique.

Je remplace une collègue malade. Je serai de retour pour la réunion du syndicat des copropriétaires.

Comme tu vois, j'ai décidé d'accepter l'invitation d'Anne. J'en ai assez de vivre avec les choix des autres sans dire un mot.

Julie

Après l'énumération de toutes les vertus de son amie, Denis était maintenant enclin à penser qu'il serait bénéfique pour tout le monde qu'elle soit présente à la réunion et qu'elle donne son avis. Après tout, elle avait du bon sens à revendre. Tant qu'elle ne voterait pas, il n'y voyait aucune objection. Il avait même envie de faire une surprise aux copropriétaires en assistant à la fin de la réunion s'il revenait assez tôt du salon funéraire.

C'est Anne qui en ferait une tête en le voyant !

* *
*

Julie n'aimait pas faire de remplacement. C'était comme si on lui volait des journées de sa vie. Elle acceptait uniquement par solidarité avec ses collègues. Ce n'est pas qu'elle détestait son travail. Au contraire. Mais le boulot n'avait jamais été une fin en soi. Il n'était qu'une des nombreuses facettes de son existence. Un de ces nombreux prétextes que la vie lui fournissait pour s'épanouir au maximum.

Le remplacement de ce matin-là faisait exception. Il avait amené Julie à se lever tôt et à quitter la maison avant que son ami ne se lève. Elle n'avait absolument aucune envie de le voir ni de lui parler. L'odeur de savon de chambre d'hôtel imprégnant le corps de Denis flottait encore dans ses narines. Pauvre lui ! Il pensait camoufler son incartade alors qu'il la soulignait au trait rouge.

– Pourquoi acceptes-tu qu'il te trompe ? lui avait un jour demandé Gadget alors qu'ils partageaient une pizza, attablés à un resto du Vieux-Montréal situé à deux pas du palais de justice.

De nombreux avocats venaient célébrer à cet endroit une victoire modeste ou simplement discuter avec des collègues.

– Ça fait partie de sa personnalité, avait répondu Julie à son ami qui ne connaissait Denis que pour en avoir entendu parler à l'occasion et toujours sous le vocable de *chum*.

Décidément, Julie avait le chic pour ne pas appeler les gens par leur nom ! Gadget n'avait jamais rencontré ni mis les pieds chez le *chum* de Julie, mais il pouvait tout de même parler de son infidélité sans risque de se tromper : sa copine s'en était ouverte à lui un soir que son quotidien avait réussi à s'immiscer dans la bulle de l'allégorie de leurs souvenirs.

– Pas de la tienne en tout cas, lui avait-il rétorqué, sachant à quel point Julie était une femme fidèle par nature.

– Je ne suis pas jalouse.

Gadget avait toisé sa copine en relevant les sourcils pour l'inciter à en dire davantage. Il la connaissait suffisamment pour savoir que la raison principale de son acceptation se trouvait sûrement ailleurs. Il avait baissé et relevé les sourcils en la fixant tant et aussi longtemps qu'elle n'avait pas dévoilé le fond de sa pensée. Julie avait d'abord ri de ses bouffonneries. Elle s'était ensuite exécutée.

– Quand je ferme les yeux sur ses aventures qu'il croit toujours secrètes, ça me donne un sentiment de liberté extraordinaire.

– Il n'y aurait pas une erreur sur la personne, mademoiselle ? avait demandé Gadget en jouant au magistrat. Qui agit en toute impunité dans les circonstances ?

– Lui, monsieur le juge.

Julie chuchotait en regardant autour d'elle. Elle ne voulait pas attirer l'attention des avocats et peut-être même des juges qui dînaient à des tables voisines.

– Mais son attitude me donne le droit d'en faire autant si je le désire. Je ne me sens aucune obligation envers lui... et le plus fantastique c'est qu'il ne le sait pas !

– Hum..., supputait Gadget en se grattant le menton et en reniflant à petits coups de narines saccadés. Ça sent l'illusion de liberté ici...

– Au même titre que les conducteurs de bolides qui roulent à cent soixante sur des routes de campagne.

– Cause ajournée, avait-il conclu en frappant la table de son poing, ce qui avait fait sursauter deux femmes assises près d'eux – probablement de très jeunes avocates, sinon des stagiaires, sur qui l'autorité des juges avait encore de l'ascendant.

Gadget n'était plus là pour écouter Julie, pour la faire rire. Son décès coïncidait bizarrement avec un ras-le-bol qu'elle éprouvait face aux tromperies de son ami. La cause en était moins la baise d'un soir que le mensonge que cela impliquait. Denis faisait semblant d'être fidèle. Chaque fois qu'elle avait abordé le sujet, il avait menti en lui jurant qu'elle était son unique amante. Avec lui rien de vrai, de solide, de limpide, tant dans les mots que dans les gestes. Que du faux, du sable mouvant, de l'obscur.

La mort, elle, avait l'avantage d'être claire et nette. On parle, on rit, on crie. On est vivant. L'instant d'après, silence total. On est mort. L'entourage a l'heure juste. La mort ne ment jamais. On ne fait pas semblant d'être mort. On l'est ou on ne l'est pas. Gadget n'avait jamais été aussi vrai, aussi honnête, aussi lui-même que dans sa mort. Lui, comme le fils de ce patient rencontré à l'urgence deux jours plus tôt pour une crise d'anxiété et comme tous les autres macchabées reposant pour l'éternité.

Julie déballa son sandwich. Elle se l'était préparé en vitesse sur le bout du comptoir, en s'efforçant de faire le moins de bruit possible. Assise sur un bloc de béton près de la porte de la buanderie de l'hôpital, elle happait les quelques rayons de soleil s'étant hasardés jusque-là. Elle prit une bouchée dans le pain blanc tranché qu'elle détestait. Denis le préférait à la miche de la boulangerie. Julie achetait parfois, mais rarement, du pain de grains germés ou de ces *trucs-santé-pas-mangeables* comme les appelait son ami. Ses commentaires désobligeants et répétitifs coupaient l'appétit.

Elle recracha le morceau dans sa main, le remit dans le sac contenant le reste du sandwich et jeta le tout à la poubelle. La nourriture insipide de son ami lui donnait la nausée. Lui aussi d'ailleurs. Rejetant l'attelage qui pesait lourd sur ses épaules, elle se précipita à la cafétéria de l'hôpital comme une pouliche soudain libérée de ses entraves. Même cette cuisine pourtant fadasse serait plus goûteuse que son sandwich dénaturé. Elle prit du poisson (interdit de séjour à la maison), une double portion de légumes et deux tranches de pain aux six céréales. Au diable Denis !

* *
*

– Je vais aller au salon funéraire cet après-midi.

– Ne te sens pas obligée.

– Deux journées d'affilée à veiller ton fils... C'est éprouvant.

– Je suis seulement allé au salon hier soir.

– Quand même. Je tiens à être là pour toi.

– Si ce n'est que pour moi, ne viens pas. Je comprends, ajouta Yvon sincère. Je ne t'en voudrai pas.

Isabelle faillit demander : « As-tu honte de moi ? » Mais elle s'abstint. Elle aurait été bien mal venue de le faire alors que lui-même avait posé cette question l'avant-veille sur un ton de reproche. Elle se contenta de répliquer :

– J'ai été mariée à Louis pendant dix ans. Nous avons été heureux ensemble de nombreuses années. Je tiens à faire acte de présence.

Aucun commentaire à l'autre bout du fil. Qu'un silence lourd de paroles ravalées. Isabelle fut la première à ouvrir une brèche dans ce mur parfaitement insonorisé.

– Comment vas-tu ?

– J'ai fait de l'anxiété hier. Aujourd'hui, ça va. L'angoisse va probablement revenir dans quelques jours mais je m'en ferai à ce moment-là.

– Moi je suis certaine que ça ira bientôt mieux.

Isabelle parlait comme si elle cherchait à s'encourager elle-même.

– Il y aura moins d'occasions de stress une fois les funérailles passées.

– Michel n'a pas le rapport médical, rétorqua Yvon, de moins en moins sûr que ça aille mieux un jour. Je ne connaîtrai la cause du décès que la semaine prochaine.

– Ah bon.

Fallait-il vraiment savoir ? Était-ce absolument nécessaire ? Ne valait-il pas mieux tout oublier ? Pouvait-on oublier ? Isabelle savait bien que non mais elle préférait maintenir l'illusion qu'une échappatoire à la vérité existait. Pendant ce temps, le silence n'en finissait plus de crier. Pour le faire taire, elle prit la parole.

– Je ne resterai au salon qu'une petite demi-heure.

– Bonne idée.

– Qu'est-ce que tu veux dire ?

– Que je ferais la même chose à ta place, répondit Yvon, très calme.

Puis, encore une fois, plus rien. Le mur s'élevait à nouveau entre eux. Isabelle se hissa sur la pointe des pieds pour tendre une perche de l'autre côté.

– Tu es certain que ça va ?

– Oui.

Yvon refusait de l'attraper.

– Bon.

Elle revint sur les talons et retira la perche.

– Je suis rempli de lui, Isabelle. Il n'y a de place pour rien d'autre que mon fils en ce moment. Je suis désolé.

– Je comprends.

– Tant mieux.

Avant que le silence ne lui fasse l'affront de s'installer une fois de plus, elle ajouta rapidement :

– J'y serai vers seize heures. À tout de suite.

Pour seule réponse, la tonalité du téléphone se fit entendre. Yvon venait de raccrocher. Isabelle regarda sa montre ; déjà quinze heures quinze ! Il lui fallait partir tout de suite si elle ne voulait pas arriver en retard. Elle salua ses employés et quitta l'agence de voyages.

La route lui parut courte. Jongler avec ses idées est l'un des plus sûrs moyens de passer le temps. « Voilà pourquoi les gens ont toujours la tête pleine ! se dit-elle. Et quand on pense constamment, on n'a pas le temps d'agir. Et quand on n'agit pas, on ne se trompe pas. Si j'avais pensé davantage, je n'aurais peut-être pas quitté Louis. » Avait-elle pris la bonne décision trois ans plus tôt ? Elle vivait encore seule et n'avait toujours pas d'enfant. Qui sait si elle n'aurait pas eu son conjoint à l'usure... Était-elle plus heureuse aujourd'hui ?

Il ne lui restait qu'un quart d'heure de route à faire. Elle se rangea dans la voie de droite et ralentit. De toute évidence, elle n'avait pas envie de se rendre au salon. Alors pourquoi y aller ? Pour Yvon ? Cette raison ne tenait pas. Il acceptait d'emblée son absence. Elle le savait sincère. Peut-être même aurait-il préféré qu'elle n'y vienne pas. C'était donc pour elle ? Mais pourquoi ? Pour saluer Louis très certainement. À moins que ce ne soit pour se prouver, et surtout pour prouver à la famille, qu'elle avait eu de l'importance dans la vie de son ex. Il faudrait compter avec elle au moment de se remémorer son existence avant de le mettre en terre. Malgré l'inimitié de Nancy !

Une voiture qui la suivait depuis un bon moment klaxonna à plusieurs reprises avant de la dépasser rageusement. Elle se rendit compte qu'elle roulait en deçà de la vitesse permise. Appuyant sur l'accélérateur, elle pensa à nouveau à son ex-belle-sœur. Qu'Isabelle veuille la braver ne faisait aucun doute. Nancy avait toujours affiché la réussite de son mari avec ostentation pour alimenter une compétition malsaine entre les deux frères. Elle soulignait régulièrement la valeur de son métier d'agent immobilier en discréditant de façon indirecte la profession d'Isabelle. Et surtout... Surtout, Nancy encensait sans relâche le métier si gratifiant de mère, sachant à quel point Isabelle désirait un enfant. Combien de fois était-elle revenue d'une rencontre familiale la tête basse, l'*ego* en miettes ?

L'animosité que nourrissait Nancy envers Isabelle avait certainement dû se transformer en hostilité pure et simple depuis qu'Yvon entretenait une relation amoureuse avec elle. Pour Nancy, Isabelle avait toujours été une allumeuse. Aujourd'hui, elle devait carrément passer pour la garce de service ! Mais qu'y pouvait Isabelle si Michel l'avait flirtée lorsqu'elle vivait avec Louis ? Était-ce sa faute si Yvon s'était épris d'elle ? De toute façon, cette liaison avait vu le jour après qu'elle eut quitté Louis.

Un automobiliste dépassa Isabelle et la dévisagea tout en levant bien droit son majeur. Elle semblait déjà suivre un convoi funéraire tellement elle roulait lentement ! Isabelle lui répondit de la même manière, offusquée qu'un homme ose agir de la sorte envers elle. Avait-elle perdu son pouvoir de séduction ? L'âge serait-il en train de lui voler cet atout ? Depuis quelque temps, elle percevait parfois un peu d'indifférence à son égard de la part des hommes. Par exemple, le réalisateur avec qui elle avait travaillé la veille. Le beau Benoît l'avait certes admirée – ça se sent ces choses-là –, mais il n'avait pas été subjugué. Michel, lui, serait-il encore envoûté par elle ? Isabelle le souhaitait uniquement par orgueil et pour narguer Nancy, car son ex-beau-frère ne l'intéressait pas plus maintenant que par le passé.

Chose certaine, le pouvoir d'attraction d'Isabelle ne jouerait pas vis-à-vis Stéphane. Son ex-neveu avait commencé à la détester dès le moment où les relations étaient devenues tendues entre elle et Louis. L'adolescent adorait son oncle et toute personne susceptible de le blesser ou de l'incommoder hérissait le jeune homme. Et puis, il y avait sa mère ! Chaque fois que Michel s'approchait d'Isabelle, Stéphane venait s'interposer entre eux. Rouge comme un cardinal, fébrile comme un roseau sous le vent, il inventait un prétexte pour séparer son père et l'épouse de son oncle. En fait, il protégeait sa mère.

Isabelle se demandait qui la protégerait, elle ? Cette question lui fit rater le stationnement du salon funéraire. Le temps de faire un magnifique virage en U malgré les klaxons d'automobilistes outrés, puis de garer la voiture, il était seize heures. Le préposé à l'accueil la reçut chaleureusement en lui serrant la main.

– Bonjour, madame.

– Monsieur Potvin !

Isabelle se félicitait d'avoir la mémoire des noms et des visages. Cela l'aidait grandement auprès de ses clients qui n'avaient pas l'impression d'être des numéros pour elle.

– Vous avez commencé à lire la documentation que je vous ai laissée sur la France ?

– Bien sûr ! dit-il, jovial.

Il reprit rapidement un air de circonstance en ajoutant sur un ton respectueux et empathique :

– Quel est le nom du défunt ?

– Louis Lefrançois.

– Ah ! répondit-il, déconfit.

Hubert Potvin se souvenait de lui avoir parlé en termes peu élogieux du frère d'une personne décédée sans toutefois mentionner son nom. Pourvu que l'agent de voyages ne fasse pas le rapprochement.

– Il y a un problème ? demanda Isabelle, intéressée.

– Non. Pas du tout.

De toute évidence, elle ne l'avait pas fait.

– Si vous voulez me suivre.

Isabelle emboîta le pas en même temps qu'elle tentait de se rappeler leur conversation à l'agence. Que disait-il, donc ? L'homme pressé d'expédier le rituel entourant la mort de son frère... Le fils de ce dernier... Qu'est-ce qu'il avait ce fils ? Il n'avait rien, le fils, car elle avait coupé la parole à son client pour ne plus entendre parler de macchabée. Après réflexion, elle décida de laisser croire à Hubert Potvin qu'elle n'avait rien retenu de leur conversation tandis que ce dernier se jurait de ne plus jamais enfreindre la règle numéro un d'un bon conseiller en services funéraires : garder pour soi tout ce qu'on entend et qu'on voit dans le cadre de son travail.

Il la laissa à la porte du salon réservé aux Lefrançois. Peu de gens l'occupaient à cette heure ; seulement la famille immédiate ainsi que quelques oncles et tantes à la retraite. Les amis et les connaissances, ce serait pour le soir. Peut-être aurait-il été préférable qu'elle se présente à ce moment-là. Perdue dans la foule, elle serait davantage passée inaperçue. Mais était-ce ce qu'elle voulait ?

Isabelle tourna les talons et partit à la recherche des toilettes. Une fois à l'intérieur, elle se campa devant le miroir et sortit son étui de maquillage. Elle poudra son nez qui commençait à luire, ajouta du mascara bleu nuit sur les cils de ses yeux lavande et remit du rouge sur ses lèvres. Puis, elle passa la brosse dans ses cheveux blonds – les hommes préfèrent les cheveux libres aux chignons – et défroissa sa robe ajustée, grise aux fines rayures roses, d'une sobriété coquine. Elle quitta la pièce uniquement lorsqu'elle fut rassurée sur son apparence. Maintenant qu'elle avait fourbi ses armes, elle pouvait monter au combat. Elle reprit alors le chemin du salon occupé par les Lefrançois, pénétra dans la pièce d'un pas ferme et se dirigea vers l'urne contenant les cendres de celui pour qui elle s'était déjà consumée.

Isabelle sentit tous les regards se tourner vers elle. Elle esquissa un sourire en inclinant délicatement la tête de côté, ne s'arrêtant que lorsqu'elle fut devant l'urne. Elle la fixa en cherchant à éviter du regard la photo attenante. Au bout d'un moment elle ne put s'empêcher de l'examiner. Contempler Louis souriant et vivant lui fit mal, bien plus mal qu'elle ne l'aurait cru. La dernière fois qu'elle l'avait vu remontait à plus de trois ans, lorsqu'elle avait claqué la porte, le fameux soir de son départ. Ils s'étaient parlé au téléphone le surlendemain pour régler le partage des biens. Une conversation succincte. Il lui avait dit sans préambule :

– Prends tout ce que tu veux dans la maison.

Son ton était rempli de dépit.

– Je ne veux que ma part, Louis.

Isabelle maîtrisait très bien sa nervosité.

– Si on se rencontrait samedi pour discuter de ce que chacun pourra garder.

– Je ne tiens pas à être là quand tu viendras, avait-il dit, à la fois fébrile et chagriné.

– Il le faudra bien si on veut partager.

– Je te le répète : prends ce que tu veux.

Louis parlait d'une voix cassante où pointait de l'amertume mêlée à de la colère.

– Je m'arrangerai avec le reste. Dis-moi seulement à quelle heure tu comptes venir pour te laisser le champ libre.

Mal à l'aise, Isabelle avait lancé :

– Treize heures ?

– Treize heures.

Et il avait raccroché.

Elle n'emporta que le strict minimum. Ses vêtements, la petite télé, la commode provenant de sa grand-mère et l'immense miroir de l'entrée. Dans les circonstances, c'était tout ce qu'elle s'était permis de prendre, autrement elle aurait eu l'impression de le voler. De toute façon, elle souhaitait repartir à neuf et ses moyens le lui permettaient.

Isabelle aurait aimé revoir Louis, une fois les procédures de divorce entamées. Il avait refusé. Sans doute, pensait-elle avec un brin de tristesse, parce qu'il lui en voulait. Les beaux moments passés auprès de lui collaient à son âme, plus parfois que les disputes déchirantes qui alimentèrent leur quotidien au cours de la dernière année de leur vie commune. Des week-ends dans de jolies auberges... Des soirées au concert ou simplement à la maison à écouter un film à suspense... N'eut été de leur différend concernant l'éventualité de fonder une famille, ils auraient poursuivi leur route ensemble. Louis était un homme entêté mais bon. Terriblement bon. Avec lui, l'amour au quotidien se vivait de façon tendre et harmonieuse. Il la savait orgueilleuse. Vaniteuse même. Séductrice, aussi. Il s'en accommodait. Oh ! Il la taquinait bien un peu sur sa manie de vouloir charmer tout son entourage, surtout les hommes, mais il le faisait sans jalousie aucune. La famille de Louis le voyait comme un homme dénué d'envergure. Elle se trompait : Louis se contentait d'être heureux. La reconnaissance sociale, l'esbroufe... Très peu pour lui. Bien sûr, Isabelle aurait préféré qu'il se mette un peu plus en avant, mais d'un autre côté, cela lui convenait. Ainsi, personne ne lui ferait ombrage sous les projecteurs.

Isabelle s'était dit qu'un jour elle rencontrerait peut-être Louis par hasard. Cette idée lui faisait plaisir. C'était doux, enveloppant et onctueux comme un caramel au rhum qu'on laisse fondre sur la langue. Un beau jour possible qui devient un possible jour d'enfer en raison des hasards de la vie. Lorsque Isabelle avait commencé à fréquenter Yvon, le bonbon s'était transformé en cerise aigre qu'on recrache dès qu'on croque dedans. Elle avait vécu dans la hantise de tomber sur son ex tandis qu'elle se baladerait au bras d'Yvon.

Elle avait su par Yvon que son fils vivait toujours seul après trois ans. Pensait-il encore à elle ? Isabelle n'aurait jamais osé poser la question à son amant mais cela lui trottait tout de même dans la tête. Après le divorce, elle avait cru qu'il l'avait rayée de ses souvenirs comme elle l'avait fait de leur vie de couple. Son entêtement à ne pas la revoir, son silence total... Depuis son décès dans des circonstances nébuleuses, les certitudes d'Isabelle avaient volé en éclats. Mort, Louis devenait encore plus hermétique. « Ceux qui prétendent que la mort n'est qu'un trou noir ont tout faux ! » se dit-elle à voix basse tandis que des gens, sans doute de la parenté lointaine de Louis, posaient un regard critique sur les bouquets de fleurs disposés autour de l'urne. Elle poursuivit son raisonnement mais, cette fois, sans prononcer un mot. « Ta mort... Rien que du mystère qui fait ombrage à ma vie... Que des questions obsédantes sans réponses sur lesquelles m'appuyer... » Elle caressa à la dérobée la photo de son ex en regardant à la ronde pour s'assurer que personne n'avait aperçu son geste instinctif. « Tous ces secrets que j'ai cru enterrés avec toi mais qui commencent à grouiller dans l'air que je respire et dans le brouillard de mon âme avant même que tu ne sois enterré. Ton fantôme qui prend possession de ma vie. » Ne jamais connaître la vérité...

– Bonjour, madame, chuchota Michel, la faisant sursauter. Je suis heureux de te revoir.

Elle tourna la tête. Absorbée dans ses pensées, cela lui prit un instant avant de reconnaître le frère de Louis et de se rebrancher à la réalité :

– Moi aussi, répondit Isabelle, sourire enjôleur aux lèvres, en jetant un coup d'œil furtif sur le crâne désormais dégarni de son ex-beau-frère. J'aurais préféré que cela se fasse en d'autres circonstances.

– Encore une fois ! lui dit-il d'un air entendu, en pensant à la rencontre fortuite avec Yvon.

Il fit une pause, attendant un commentaire de sa part ou du moins un regard complice. Rien. Mal à l'aise, il toussota en cherchant à boutonner son veston pour camoufler son ventre rebondi. Puis il ajouta, honteux :

– Je tiens à m'excuser pour mon indiscrétion.

Il baissa la voix, de plus en plus embarrassé :

– Je ne croyais pas que ma fem...

Isabelle leva la main en signe de protestation, avec grâce et grandeur, tout en s'éloignant de l'urne et de la photo qui l'avait bouleversée. Elle rejeta ses cheveux vers l'arrière avec un mouvement du cou rappelant celui d'un cygne nageant autour d'un *swan boat* bostonnais.

– Laissons cela, veux-tu ?

Nancy arriva sur ces entrefaites. En voyant son épouse prendre place entre eux, le menton relevé et les dents acérées derrière son sourire de requin affamé, Michel comprit qu'il n'aurait plus un seul moment en tête-à-tête avec Isabelle. Il en prit vite son parti ; il n'avait pas le cœur au flirt. Las et alourdi par la mort de son frère, il préférait se rendre auprès de son fils qu'il sentait aux aguets depuis l'arrivée d'Isabelle.

Déçue de voir son ex-beau-frère rendre les armes aussi vite – seul un lâche comme Michel pouvait supporter la chipie qui s'apprêtait à lui parler –, Isabelle se tourna résolument vers son ex-belle-sœur, prête à recevoir et à donner un premier uppercut. Dieu que Nancy était laide ! Cela faisait plus de trois ans qu'Isabelle ne l'avait vue et la situation ne s'était pas améliorée. Au contraire ! En fait, Nancy n'était pas un boudin à proprement parler, mais elle se fagotait si mal que cela revenait au même. Ses cheveux saturés de teinture rouille la vieillissaient de dix ans. Son maquillage aussi, d'ailleurs : trop de fond de teint, d'ombre à paupières, de fard pour les joues et les yeux, de rouge à lèvres...

Et que dire de son poids ? Trop de poids ! Pour sûr, elle avait engraissé. Les bourrelets ne se devinaient plus sous ses vêtements. Ils explosaient littéralement au grand jour, déformant de façon hideuse son tailleur aubergine aux gros boutons dorés ornés des initiales d'Yves Saint Laurent. La vue de ce clown parvenu n'était pas pour déplaire à Isabelle. Cela rehaussait en quelque sorte sa propre beauté et son raffinement, ce qui lui donnait de la force et du courage pour affronter son adversaire.

– Il fallait bien la mort de Louis pour qu'on se voit à nouveau, murmura Nancy, sirupeuse.

Elle triturait nerveusement son sac Chanel à ganses dorées, consciente qu'Isabelle venait de remporter la première manche de leur duel grâce à sa mise parfaite et sa beauté intacte. Poursuivant le combat, elle se fit incisive en ajoutant :

– Quoique...

– Que veux-tu dire, Nannnncy ?

Isabelle prit la peine d'appuyer sur le *n* de son nom. Elle connaissait ce point faible de son ex-belle-sœur et s'en servait pour la déstabiliser. De plus, elle cherchait à faire sortir le venin de cette vipère, quitte à en être éclaboussée.

– Tu n'en sais rien ? grinça son interlocutrice qui venait de perdre la deuxième manche en voyant son prénom défiguré méchamment.

De vipère, Nancy se métamorphosait en couleuvre, insaisissable comme tous ceux qui répondent à une question par une autre. Isabelle savait trop bien à quoi faisait allusion son ex-belle-sœur : sa relation avec Yvon. Cette femme pensait-elle vraiment qu'Isabelle aurait pu accompagner Yvon dans une réunion des Lefrançois pour un anniversaire ou bien les fêtes de fin d'année ? De toute façon, elles étaient ennuyeuses et dépourvues d'intérêt, leurs réunions de famille.

Isabelle aurait pu administrer une réponse cinglante à Nancy, comme une claque percutante. Elle opta plutôt pour la tactique de son adversaire dans le but de la piéger. Or, c'est elle qui s'enferra lorsqu'elle posa à son tour une question. Une question directe, sans faux-fuyant insipide, sans louvoiement inutile. Une question qu'elle n'aurait jamais osé formuler en d'autres temps. Une question qu'elle n'avait pas préparée, qu'elle n'avait pas souhaité poser mais qui s'imposait d'elle-même dans ce salon funéraire où reposait son ex-mari. LA question qui lui brûlait les lèvres depuis la mort de ce dernier.

– Comment a réagi Louis quand tu lui as dit qu'Yvon et moi sortions ensemble ?

Sa voix avait chevroté. Ses mains avaient tremblé. Ses yeux s'étaient embués. Elle venait de perdre une manche. Non, pas une manche. Le match au grand complet ! Elle avait étalé sa vulnérabilité devant son adversaire, son inquiétude, sa culpabilité, sa faiblesse... Et, étonnamment, elle s'en foutait. Seul Louis importait. Louis et ses sentiments, Louis et sa souffrance, Louis et sa fin. La fin de celui qu'elle avait beaucoup aimé et dont elle aimait encore se souvenir.

– Tu as su pour... le coup de fil ? bredouilla Nancy, totalement désarçonnée par cette question.

Le match n'était pas encore terminé. La victoire ne pouvait être tenue pour acquise. Nancy poursuivit en soliloquant, les chaînettes de son sac Chanel s'entrechoquant sous les doigts griffés de sa propriétaire :

– Michel m'avait pourtant juré qu'il n'en parlerait pas à son père !

– Il a tenu promesse.

Nancy, sceptique, dévisagea Isabelle. Puis, lentement, l'explication logique s'imposa à son esprit.

– Alors...

Nancy pâlissait malgré l'épaisse couche de fond de teint et de fard qui camouflait son visage.

– C'est Michel qui t'a...

– Téléphoné, oui.

Isabelle éprouvait de la pitié pour son ex-belle-sœur et sa jalousie qui s'épanouissait sous ses yeux.

– Il voulait seulement que je sois au courant au cas où Louis en parlerait à Yvon.

Nancy, soufflée, demeura muette un moment. Aurait-elle jeté son mari dans les bras d'Isabelle sans le savoir ? Perdant toute retenue, elle cracha au visage de son adversaire :

– Tu n'es qu'une enjôleuse !

Isabelle jeta un coup d'œil furtif à la ronde. Les gens discutaient entre eux mais elle comprit rapidement que leur attention avait dévié vers l'échange entre les deux ex-belles-sœurs. Désirant calmer le jeu et surtout finir par obtenir une réponse à sa question, elle dit posément et à voix basse :

– Il n'est pas question de moi. Il est question de Louis.

« Exact », se dit Nancy qui retrouva la maîtrise d'elle-même. Pourquoi avait-elle parlé à Louis de cette liaison ? Elle ne voulait pas lui faire de mal. Elle le trouvait mou et quelconque, incapable d'initiative et d'ambition, mais elle ne le détestait pas. Ni lui ni son beau-père, un homme qu'elle estimait beaucoup. Alors, pourquoi avoir risqué de placer Yvon dans une situation délicate ? Elle éructa la réponse d'une voix sourde mais inaudible pour l'entourage :

– Tu te trompes, Isabelle. Il est question de toi. Rien que de toi. Je voulais que mon beau-frère sache qui tu étais vraiment.

Isabelle recula d'un pas sous le choc de ce qu'elle venait d'entendre. Encore sonnée par cette déclaration de guerre ouverte, elle bredouilla en refoulant ses larmes :

– Pourquoi me détestes-tu autant ?

– Parce que pour Michel...

La mâchoire de Nancy tremblait.

– Pour mon Michel...

Ses yeux s'enflammaient.

– Tu gagnes toujours au jeu sordide des comparaisons.

En disant ces mots, Nancy réalisa qu'en plus d'haïr Isabelle, elle en voulait aussi énormément à son mari. À cet homme qu'elle aimait depuis le soir où ils avaient flirté ensemble dans un bar et où ils avaient fait l'amour dans une voiture, à la sauvette, il y avait presque dix-sept ans de cela. Il était tellement plus qu'elle, mieux qu'elle ! Elle l'aimait et l'aimerait toujours. En dépit de tout.

– Personne ne viendra me l'enlever ! conclut-elle, en toisant son ennemie, un instant écrasée par tant de haine.

Puis, se souvenant de la réponse qu'elle voulait coûte que coûte obtenir, Isabelle releva les épaules en lançant dans un souffle :

– Mais je m'en fous de Michel ! C'est Louis qui m'intéresse. Louis et sa réaction au coup de fil que tu lui as donné.

Nancy se sentit soudain affreusement coupable. Peut-être parce qu'elle venait d'entendre de la bouche même d'Isabelle que Michel ne l'intéressait pas. Cela laissait le champ libre à la culpabilité et à la honte d'avoir blessé son mari, son beau-père et son beau-frère en vendant la mèche. Et parce qu'elle avait honte d'elle-même, elle attaqua :

– Tu me fais un reproche ? Si tu n'avais pas couché avec Yvon, je n'aurais pas annoncé à Louis que...

– Je ne cherche pas à te blâmer, Nancy, coupa Isabelle en prononçant son prénom à la française. Et pour tout te dire, je me fiche éperdument des raisons qui t'ont poussée à agir de la sorte.

Isabelle tremblait tandis qu'elle parlait en cherchant à surmonter sa fébrilité. Puis elle ajouta, lasse, si terriblement lasse :

– Je veux seulement savoir comment il a réagi.

Déconcertée, Nancy restait coite. Qui perdait, qui gagnait cette manche ? Qui remportait le match ? Ces questions devenaient soudain obsolètes dans son esprit, les deux combattantes s'étant effondrées avant l'assaut final.

– Il y a eu un long silence à l'autre bout du fil. Un silence sans fin, chuchota Nancy, émue, tandis qu'Isabelle la fixait intensément. Il m'a ensuite posé une question.

Isabelle attendait, anxieuse. Elle retenait son souffle pour ne pas effaroucher son interlocutrice qui semblait avoir rendu les armes, elle aussi. Le silence devenant intenable, elle demanda d'une voix posée :

– Laquelle ?

– Sont-ils heureux ? répondit Nancy dans un murmure.

– Qu'as-tu répondu ?

– J'ai dit...

Elle soutenait le regard perçant d'Isabelle.

– Heureux, je ne sais pas. Certainement amoureux, selon Michel.

Isabelle eut mal comme si un poignard se frayant un chemin dans sa poitrine s'amusait à lui dépecer le cœur à grands coups de lame acérée. Louis avait-il ressenti la même douleur en apprenant la nouvelle ? S'était-il suicidé à cause de cela ? Isabelle était-elle responsable de sa mort ? Elle ramassa ce qui lui restait de courage pour connaître la suite.

– Et après, qu'a-t-il dit ?

– Rien.

Le regard de Nancy glissa vers son fils qui la surveillait de loin.

– Il m'a demandé de saluer Stéphane et il a raccroché.

– Avant de raccrocher (Isabelle s'agrippait), comment était sa voix ?

– Faible...

Nancy regarda par terre, mal à l'aise, avant de laisser tomber :

– Faible et terriblement lasse.

Défaite, Isabelle baissa la tête, les épaules affaissées. Nancy conclut par souci de vérité et pour panser un tant soit peu la blessure qu'elle venait d'infliger à cette femme qu'elle s'étonnait de ne plus haïr :

– Il avait déjà cette voix-là avant que je ne lui annonce la nouvelle.

Voyant Isabelle qui semblait sceptique devant cette précision, Nancy ajouta, en la dévisageant :

– Je te jure que c'est vrai.

Cette toute petite phrase calma un peu la douleur d'Isabelle. Elle remercia simplement puis s'éloigna. Yvon, au salon depuis le début de l'après-midi, les avait observées du coin de l'œil tout en discutant avec diverses personnes venues offrir leurs condoléances. Il s'empressa d'aller retrouver son amie maintenant seule. Il n'avait pas voulu intervenir dans leur conversation moins par crainte de se jeter dans la bataille que pour respecter l'intimité de sa maîtresse.

– Est-ce que ça va ? demanda Yvon après lui avoir fait la bise comme s'ils étaient de simples connaissances.

– Ça va, le rassura-t-elle, frôlant sa main effilée de dentiste émérite. Je vais partir.

– Je te reconduis à ta voiture.

– Ce n'est pas nécessaire.

Il esquissa un geste pour la suivre. Elle lui fit signe gentiment de rester là. Il s'arrêta, obéissant. Avant qu'elle ne quitte la pièce, il lui demanda :

– Tu viendras à l'église demain ?

– Je n'en sais rien.

Elle partit en esquivant Hubert Potvin qui discutait avec un collègue précisément pour éviter de la saluer.

La vie est parfois bien faite.

* *
*

– Je crois qu'on a fait le tour des questions. Quelqu'un propose la levée de l'assemblée ?

– Moi, je veux bien, répondit Dominic, le voisin du rez-de-chaussée.

La séance levée à vingt heures quarante-cinq, Dominic s'empressa d'aller rejoindre sa femme, restée avec le bébé.

– Je te remercie de m'avoir invitée chez toi pour cette réunion, mentionna Julie à Anne en se levant de table tandis que cette dernière ramassait les tasses à café vides.

– Tes réflexions et tes commentaires nous ont aidés à prendre des décisions éclairées. S'il avait fallu se fier à Denis, on serait encore là à attendre.

Anne empila les soucoupes sur le comptoir de la cuisine.

– C'est vrai qu'il n'est pas très coopératif.

– On est seulement trois copropriétaires. C'est dire à quel point sa présence et son implication sont importantes ! ajouta Anne pendant qu'elle recouvrait la tarte à la noix de coco entamée pendant la rencontre et qu'elle avait achetée au resto où elle travaille. Son dernier prétexte pour ne pas participer à la réunion, je le trouve un peu fort.

– J'imagine que cela l'arrange que la visite au salon tombe ce soir, mais je pense qu'il tenait vraiment à y aller.

Anne haussa les épaules, l'air de dire qu'elle ne la croyait qu'à moitié tandis qu'elle ramassait les documents ayant servi à la rencontre.

La fenêtre ouverte laissait passer les sons caractéristiques de l'été : le vent dans les feuilles, les cris des enfants qui se chamaillent, les talons aiguilles sur le trottoir, un chien qui aboie... Montaient aussi des odeurs de steak grillant sur le barbecue mêlées au parfum tenace des pivoines bordant l'escalier d'en avant.

– Si on faisait une marche jusqu'au parc Lafontaine ? demanda Anne qui avait envie de profiter de cette belle soirée d'été.

Julie accepta l'offre spontanément. En route, elles parlèrent de choses et d'autres : la vie en condo, la joie de se retrouver en été, les projets de vacances. Arrivées au parc, elles empruntèrent en silence une allée bordée de gros arbres. L'un d'entre eux attira particulièrement l'attention d'Anne. Un érable magnifique. Sa forme arrondie, son feuillage touffu, son tronc noueux, ses inscriptions d'amoureux, son gros cœur peint en rouge, percé d'une flèche gravée dans sa chair... On aurait dit l'arbre au pied duquel Coconut avait été photographié et dont le cliché était exposé au salon funéraire.

– J'ai un ami qui est décédé il y a quelques jours, dit-elle à Julie, attentive. Il aimait beaucoup les arbres. Il les appelait les condos des oiseaux.

– Il était poète ?

– Non. Simplement un bon observateur.

Julie ignorait si Gadget était sensible à la nature. Probablement pas ! Lui, il aimait avaler les kilomètres en traversant champs et forêts sans s'attarder aux détails par trop statiques d'arbres gobeurs d'oiseaux.

– J'ai un ami très proche qui est mort lui aussi en début de semaine.

Anne en fut étonnée mais garda le silence. Après quelques secondes de réflexion, elle murmura :

– J'ai toujours associé l'été à la vie. Avec trois... Non ! Quatre morts en si peu de temps... Ça me déstabilise.

– Quatre ?

Anne comptait sur ses doigts.

– Ton copain, le mien, le conseiller financier de Denis et l'oncle d'un ado avec qui j'ai eu une conversation avant-hier, au bistro où je travaille.

Elle regarda Julie qui réagissait peu à cet entassement macabre de cadavres. Devant l'impassibilité de sa voisine, Anne ne put s'empêcher de lui demander :

– Cela ne te trouble pas ?

– Je vois des gens mourir tous les jours, répondit stoïquement Julie avant de dévaler le talus menant à l'étang.

Anne la suivit, s'arrêtant de justesse à quelques centimètres de l'eau. Les deux femmes rirent plus que le comique de la situation ne le commandait. Sans doute une façon pour elles d'évacuer la tristesse qui se frayait insidieusement un chemin dans leur cœur. Elles longèrent l'étang, s'arrêtant parfois pour regarder un chien se baigner ou des pédalos rentrer au bercail.

Voyant un banc se libérer, elles le prirent d'assaut. Julie alla acheter des glaces à un marchand ambulant stationné à quelques mètres du banc. Au retour, elle aperçut sa voisine détaillant un homme du regard pendant qu'il attachait le lacet défait d'une de ses chaussures de course.

– Ton ami lui ressemblait ?

Anne sourit en regardant du coin de l'œil cette petite futée qui avait vu juste.

– Si une taille moyenne et des cheveux bruns peuvent être considérés comme des signes distinctifs, oui, rit-elle en mordant dans sa glace à la pistache. Tu l'as peut-être croisé dans l'escalier, une des rares fois qu'il est venu chez moi !

– J'ai croisé plus d'un homme dans l'escalier et qui allaient chez toi..., laissa tomber Julie en riant.

Anne sourit tandis qu'elle laissait fondre la glace dans sa bouche. Après avoir pleinement savouré ce délice à la pistache, elle dit dans un claquement de langue :

– Dorénavant tu ne croiseras plus que Benoît !

– Wow !

Julie attendait la suite. L'explication d'Anne se faisant attendre, elle s'acharna sur sa glace. Puis, cherchant à relancer la conversation, Julie ajouta en riant :

– Sérieuse entorse à tes principes ! Je me souviens d'une conversation où tu t'opposais à la fidélité. C'était un gage d'indépendance et de liberté selon toi.

– Jusqu'à ce que je réalise que j'étais devenue esclave de ce postulat. Ça sentait...

– L'illusion de la liberté ? coupa Julie, se grattant le menton comme Gadget et en reniflant à petits coups de narines saccadés.

Elles s'esclaffèrent. Toutes deux pour des raisons différentes. Julie, au souvenir de son ami disparu, et Anne en raison des mimiques rigolotes de sa voisine. Une fois les glaces léchées et les cornets avalés jusqu'à la dernière miette, elles prirent le chemin du retour en empruntant de petits sentiers de traverse.

– Il le sait, Benoît, qu'il sera maintenant le seul homme dans ton lit ?

– Je lui ai laissé ma clé. Ça veut tout dire !

– À sa place...

Julie fit une pause après avoir été heurtée par un joggeur.

– J'aurais peur que ça se bouscule encore dans l'escalier si je n'avais pas une confirmation verbale de ta part. Es-tu prête à t'engager jusque-là ?

Décidément, la voisine d'Anne avait du flair. C'était une chose d'avoir de bonnes intentions, une autre de les mettre en pratique. Cette fois elle n'avait pas envie de répondre. Sans doute parce qu'elle n'aurait su que dire. Elle fit adroitement dévier la conversation. Pleins feux sur Julie !

– Pour ce qui est des bousculades dans l'escalier, ce n'est pas vraiment un problème chez mes voisins du troisième ! lui dit-elle, railleuse. Jamais vu personne monter chez vous...

– Chez nous..., répéta Julie, songeuse.

Puis, sortant de sa parenthèse, elle accepta de bon gré de poursuivre la conversation sur son propre territoire.

– Tu n'as vu personne, je te le confirme, dit-elle enjouée. Denis n'a pas d'amis.

– Toi, tu en as.

– Je ne me sens tellement pas chez moi, au condo ! Je ne suis pas copropriétaire. Colocataire non plus. On n'invite pas ses amis dans la maison de pension où l'on habite. Et puis Gadget...

– Gadget ?

– C'est le surnom que j'avais donné à mon copain qui est décédé. Je t'expliquerai une autre fois.

– Tu disais donc que Gadget...

– Gadget, c'était une chasse gardée. Lui et Denis ne s'étaient jamais rencontrés bien qu'ils connaissaient l'existence l'un de l'autre. Manque d'intérêt. Je n'y tenais pas non plus.

– Pourquoi ? demanda Anne avec curiosité.

Julie haussa les épaules, le regard perdu.

– Ils étaient tellement différents... Je savais qu'ils ne s'entendraient pas, conclut-elle, en jetant un œil furtif vers Anne.

Les deux femmes quittèrent le sentier pour emprunter l'allée principale. Les propos de Julie intéressaient beaucoup Anne, mais elle restait sur son appétit.

– Je comprends que vous ne vous fréquentiez pas tous les trois, mais pourquoi parler de chasse gardée ?

– Gadget, c'était mon trésor. Un gros diamant que je conservais dans son écrin pour ne pas qu'on le salisse, qu'on l'abîme, qu'on jette du discrédit sur lui. Je risquais gros en dévoilant mon trésor à Denis, une personne susceptible de ne pas l'apprécier.

Elle se tut un moment puis ajouta, la voix chevrotante :

– Je risquais qu'il devienne moins beau à mes propres yeux.

Julie regardait par terre. Elle releva ensuite la tête et dit d'un ton assuré :

– Voilà pourquoi tu ne l'as jamais vu monter l'escalier jusque chez m...

Julie buta sur le dernier mot. Elle réfléchit le temps d'avaler sa salive, puis ajouta :

– Jusque chez Denis.

Satisfaite de l'exactitude de sa phrase, elle conclut :

– Il n'a même jamais su où j'habitais.

Elles arrivèrent à l'intersection des rues Rachel et du Parc-Lafontaine, attendirent le feu vert, traversèrent, firent quelques pas sur Rachel puis tournèrent sur Boyer, tout cela sans échanger un seul mot. Anne méditait sur les trésors à protéger, Julie sur les joyaux à montrer au grand jour. Elles ne se concertèrent pas non plus lorsqu'elles s'assirent dans l'escalier menant aux condos. Elles le firent naturellement, convaincues l'une comme l'autre que leur échange n'était pas terminé.

– Ce sont les obsèques de mon ami, demain matin, dit doucement Anne. Mon dernier rendez-vous avec Coconut.

– Coconut ?

– C'est le surnom que j'avais donné à mon copain. Je t'expliquerai une autre fois.

Elles eurent un sourire complice.

– Ce sera aussi les funérailles de Gadget, déclara Julie, mal à l'aise. Certainement une idée de sa famille ! Il était athée. Tout ce qui concernait la religion l'indisposait.

– Coconut était sceptique quant à l'existence de Dieu. La religion ne l'intéressait pas non plus. Par contre, c'était un homme d'habitudes, de rituels. Je crois qu'il appréciera ce rite entourant sa mort.

– Pas Gadget ! s'exclama Julie, mécontente. C'est la raison pour laquelle je ne serai pas là demain, comme je ne suis pas allée non plus au salon funéraire.

– C'est l'unique raison ? Tu en es certaine ?

Julie regarda sa voisine, une lueur d'incompréhension dans le regard. Anne attendit un moment puis mit des rubans autour de ses mots pour enjoliver ses propos, adoucir ses commentaires :

– Parfois... Parfois on a peur de se confronter à la triste réalité. Alors on la fuit pour ne pas la voir.

– Je n'ai pas peur de la mort. Je la côtoie tous les jours, laissa tomber Julie.

– Celle d'un ami aussi ?

Julie se leva. Anne en fit autant.

– Je dois rentrer, dit Julie, soudain lasse.

– Moi aussi, répondit Anne qui craignait d'avoir froissé sa voisine.

Elles gravirent les marches jusqu'au palier, prirent leur clé, ouvrirent leur porte respective. Julie se tourna vers Anne.

– Ce ne serait pas plus mal si le seul souvenir que je conservais de Gadget était celui d'un homme vivant.

– Non, ce ne serait pas plus mal, répondit doucement Anne.

Elle ajouta dans un murmure :

– Mais ce ne serait pas la vérité.

Anne lui sourit tristement et referma la porte derrière elle. Julie regarda longuement la porte fermée. Puis elle détourna la tête et rentra... chez Denis.

La lune brillait. Les étoiles scintillaient. Coconut et Gadget veillaient au grain.

* *
*

Le séjour, plongé dans le noir et le silence, semblait inoccupé. Denis assis dans un fauteuil, les pieds posés sur la table à café, fixait le téléviseur éteint. Ce n'était pas son genre de rester ainsi à ne rien faire. Il aurait pu descendre chez sa voisine pour prendre part à la réunion des copropriétaires mais le courage lui avait manqué à la dernière minute. Ces discussions interminables au sujet des petits problèmes domestiques ne l'intéressaient pas du tout. Il avait mieux à faire. Comme végéter dans le noir à essayer de se convaincre de son importance.

Une fois de plus, les choses ne s'étaient pas déroulées comme il l'avait souhaité. Ce n'était pourtant qu'une visite au salon funéraire. Son arrivée passée inaperçue au milieu des nombreux visiteurs l'avait déstabilisé. C'était loin de ce qu'il avait imaginé. Il s'était attendu à un accueil chaleureux de la part des collègues de Louis, voulant tous le récupérer parmi leur clientèle. Une fois remis de sa déception, il scruta la foule à la recherche de sa cible principale, Gilles Deschênes, le directeur du bureau. Il l'aperçut au milieu d'un petit groupe, conversant avec un homme d'affaires qu'il reconnut, l'ayant croisé à l'occasion. Ce n'était pas le moment de faire des représentations.

Il braqua ensuite son regard sur l'incroyable quantité de fleurs qui entouraient l'urne. Il cherchait l'arrangement qu'il avait fait livrer la veille. Il le trouva derrière une gerbe qui le cachait en partie. Il fallait qu'elle soit bien grosse cette gerbe, pour éclipser son pédalo dont les flotteurs étaient composés d'œillets bleus et les sièges d'œillets blancs. On aurait voulu le camoufler qu'on n'aurait pas mieux fait !

Reprenant sa contenance, il s'approcha de la photo de Louis qu'on avait posée sur un tréteau. Il eut un pincement au cœur à la vue de cet homme jeune et visiblement en santé. Comment pouvait-on mourir à cet âge ? Avec une telle allure, en plus ? Comparé à lui, Denis faisait figure d'homme mûr commençant à s'empâter. À quoi ressemblerait la photo qu'on exhiberait à son décès ?

Cherchant à chasser ces idées noires, il s'avança franchement vers monsieur Deschênes qui terminait sa conversation avec l'homme d'affaires.

– ...Appelez-moi lundi en fin de journée. J'aurai eu le temps d'étudier les dossiers de Louis. On pourra se fixer un rendez-vous en milieu de semaine.

Denis bomba le torse en tirant sur les poignets de sa chemise blanche afin de dégager ses boutons de manchette dorés en forme de pédalos, cachés sous les manches du veston de son complet marine. Il sourit et serra fermement la main du comptable. Le battant reprenait du service !

– J'étais un client de longue date de Louis, déclara-t-il en appuyant sur le mot *longue* pour insinuer qu'il tenait une place importante dans la clientèle du défunt.

– Le salon en est plein, mon cher monsieur, répondit l'homme en souriant. Louis était très apprécié.

Denis n'aurait su dire pourquoi, mais cette réponse lui déplut. Peut-être parce qu'on le mêlait à la foule, lui, un client d'exception ! Il renchérit :

– Vous perdez un très bon élément.

– Assurément !

Le comptable mit la main sur l'épaule de Denis en ajoutant :

– Mais ne vous en faites pas, la personne qui prendra la relève saura s'occuper de vous efficacement.

Cette façon de le toucher comme un père le ferait pour encourager son petit garçon... Cette aisance presque cavalière à parler du remplacement de Louis à peine refroidi... Tout cela concourait au malaise qu'éprouvait Denis. Il fit un effort considérable pour ne rien laisser paraître lorsqu'il lança en replaçant son épingle à cravate composée d'une demi-douzaine de petits pédalos dorés formant un convoi rapproché :

– Précisément ! J'aimerais vous rencontrer la semaine prochaine si possible, pour parler affaires.

– Votre nom, déjà ?

Il s'était senti minus dès la formulation de la question. Comment ? Le patron ne se souvenait pas de lui ! Ils avaient pourtant été présentés l'un à l'autre. Dix ans auparavant, il est vrai. Pourtant, ils se croisaient régulièrement quand Denis se rendait au bureau et ils se saluaient avec empressement. Il suffirait simplement de lui rafraîchir la mémoire. Il prit sa voix d'as vendeur qui avait fait sa réputation et répondit :

– Denis Chaumette, des Pédalos Denis Chaumette incorporé.

– Ah oui ! s'exclama avec empressement le patron en jetant un œil amusé à l'épingle à cravate de Denis, gonflé d'orgueil. La petite entreprise de pédalos... Bien sûr.

Denis se hâta de réparer son ballon crevé pour remonter dans l'estime de son vis-à-vis en rectifiant les faits.

– Nous sommes la plus grosse entreprise du genre au Québec. Avec les projets d'agrandissement de l'usine qui se concrétisent, nous comptons faire une percée sur le marché extérieur.

– Excellent ! dit le comptable avec enthousiasme tandis qu'il balayait la salle du regard. Il faut foncer si on veut obtenir quelque chose.

Denis venait d'ouvrir une brèche. Il poursuivit immédiatement sur sa lancée, conscient que l'attention du comptable commençait à faiblir dangereusement.

– Oui ! Et attaquer le marché en s'entourant de gens à la hauteur de nos objectifs.

Il fit une pause, satisfait des hochements de tête affirmatifs du patron du bureau.

– J'appelle votre secrétaire en début de semaine pour un rendez-vous ? conclut-il, regonflé à bloc.

– Mon cher monsieur, enchaîna Gilles Deschênes sans aucune hésitation, j'ai plus de clients que je ne peux en prendre. Je ne vous rendrais pas service.

Il fit signe à une personne située derrière Denis qu'il n'en avait plus que pour une minute avec son interlocuteur.

– Bien sûr, il vous faut un comptable d'expérience !

Le directeur suivait du regard l'individu qui manifestement s'approchait d'eux, alors que Denis s'obstinait à ignorer sa présence, voire, son existence.

– Je pense à Richard Boileau, un homme très compétent.

Il sourit à la personne qui venait d'arriver. Il ajouta, sans même jeter un regard au client, et sur un ton qui signifiait sans équivoque la fin de la conversation :

– Laissez-moi lui en parler.

Denis finit par tourner la tête afin de savoir qui était cette personne qui réussissait aussi bien à accaparer l'attention du patron. Il ne vit d'abord qu'une masse de cheveux bruns sous lesquels deux adorables épaules dénudées s'offraient aux regards. Puis, il aperçut sur l'épaule droite, un petit tatouage. Il tendit le cou, curieux. La balance de la justice s'y exhibait avec ostentation ! Denis pâlit.

– Ma femme.

Deschênes faisait les présentations à contrecœur, agacé de voir que le petit entrepreneur n'avait pas compris que sa présence n'était plus requise.

– Laurence, je te présente monsieur... Quel est votre nom déjà ?

Et sans attendre la réponse, il enchaîna à l'intention de son épouse :

– Monsieur est propriétaire d'une petite entreprise de pédalos.

Laurence regarda sans ciller en tendant la main mollement. Il répondit par un rictus crispé et une poignée de main moite, comme seuls les pauvres types arrivent à en donner.

– Enchanté, balbutia-t-il en cherchant dans son regard une lueur de complicité ou à tout le moins une expression signifiant *je te reconnais.*

Imperturbable, Laurence se contenta de hocher la tête avant de se tourner vers son mari avec suffisance, signalant ainsi son manque total d'intérêt envers ce personnage quelconque.

– Si vous voulez bien nous excuser, s'empressa de dire Deschênes après s'être acquitté de ses devoirs de bienséance. Des clients importants à saluer ! ajouta-t-il avant d'entraîner sa compagne à l'autre bout de la pièce.

Denis suivit le couple du regard, ahuri mais encore confiant de voir Laurence se tourner dans sa direction pour lui jeter un coup d'œil ou lui faire un signe. Un geste quelconque qui lui indiquerait sans l'ombre d'un doute qu'elle l'avait reconnu, qu'elle n'avait pu agir autrement de peur que son mari ne se doute de quelque chose... Qu'elle était désolée ! Rien de tout cela ne se produisit. Pas un seul hochement de tête, pas un soupçon de regard décroché à la sauvette, pas le plus petit mouvement du corps de Laurence. Rien ! Rien n'indiquait, d'aucune façon, que la jeune femme se rappelait de lui. Denis eut envie d'aller la rejoindre pour lui demander, devant son mari, si elle s'était remise de son indigestion et si sa robe de mousseline resterait tachée. Alors là, elle serait bien obligée de se remémorer l'homme qui lui avait fait l'am...

Denis blêmit, dépité. Il mesurait l'étendue de sa déconfiture, debout, bras ballants, tête basse, au milieu des gens qui s'activaient. Il se tenait là, au ralenti, alors que tout grouillait en accéléré autour de lui. Le patron du bureau venait de lui donner son congé comme on l'aurait fait avec un vulgaire valet. Sa femme Laurence ne l'avait pas reconnu ; comme si elle ne s'était jamais retrouvée dans ses bras. Denis n'avait même pas droit à de la rancune de la part de cette maîtresse mal baisée ; il n'existait pas. C'est tout ! Il ne pesait pas plus lourd dans la balance que l'air qui s'était échappé de son ballon irrémédiablement dégonflé. Pas plus lourd que Louis et tous les autres macchabées oubliés avant même d'être enterrés.

Assis dans le noir, Denis se remémorait son départ précipité du salon funéraire, sa conduite automobile agressive, klaxonnant et coupant le chemin à tous les lambins qui lui obstruaient le passage. Arrivé à la maison terriblement frustré, il s'était affalé dans le fauteuil du séjour. Il n'entendit pas la porte s'ouvrir et sursauta lorsqu'elle se referma. Julie venait d'entrer. Enfin, il n'était plus seul. Il devina son ombre pénétrant dans le séjour puis longeant le canapé. Avant qu'il ne put l'avertir de sa présence, elle percuta ses jambes étendues en étouffant un cri.

– C'est moi, Julie.

– J'ai eu peur ! Pourquoi restes-tu dans le noir ? dit-elle sans pour autant faire de la lumière.

– Je pensais à mon conseiller financier. Son départ m'attriste.

– N'exagère pas Denis !

Elle alluma une lampe.

– Ce n'était pas ton ami, conclut-elle en s'échouant sur le canapé en même temps qu'elle déposait ses clés sur une table d'appoint où les boutons de manchette et l'épingle à cravate en forme de pédalos avaient déjà fait naufrage.

Puis Julie se déchaussa en ne se servant que de ses pieds et dégrafa le pantalon de son uniforme en poussant un grand soupir.

Denis aurait voulu lui expliquer que c'était l'idée même des départs qui le chagrinait, bien plus que le départ spécifique de Louis. La foule à l'aérogare le désolait également. La foule qui, à peine l'avion disparu à l'horizon, reprend ses activités en attendant, elle aussi, l'avion dans lequel elle montera un jour ou l'autre. Il aurait voulu dire que, pour la première fois, il doutait de la valeur de ses ambitions. Mais pour cela, il aurait dû avouer sa faiblesse. Incapable de faire ce saut périlleux, il s'éloigna du gouffre et posa les pieds en terrain connu.

– Il n'était peut-être que mon conseiller financier mais il me servait bien depuis dix ans.

– Il te servait... Belle façon de voir votre relation !

Julie avait laissé toute empathie dehors, sous les étoiles. Et puis, elle pouvait difficilement concevoir que Denis puisse être attristé par le décès de qui que ce soit, encore moins celui de son conseiller financier.

Denis, agacé, répliqua :

– Il s'occupait bien de moi ! Cela te convient mieux ?

Il replia les jambes en se redressant dans son fauteuil.

– Je l'appréciais aussi comme individu.

Elle le regarda furtivement avant de se caler dans le canapé tout en posant les pieds sur la table à café à son tour.

– Qu'est-ce que tu lui trouvais tant, à ce type ?

– C'était un homme sûr de lui, fiable, disponible, sérieux, prudent... Pas un gramme de frivolité ou de futilité.

– Hé ! Il avait tout pour plaire ! lança-t-elle, acerbe, en pensant que si Gadget avait ressemblé à ce bonhomme, ils n'auraient jamais été amis.

Les sarcasmes de Julie surprirent Denis autant qu'ils le blessèrent. Elle d'habitude si conciliante, si empathique. Il passa outre car il jugeait nécessaire de compléter le portrait du défunt.

– Il comprenait mes besoins et l'importance de mon entreprise.

« Un insipide doublé d'un lèche-bottes ! » pensa Julie qui s'était prise d'aversion pour le pauvre macchabée. Elle choisit cependant de déverser son amertume sur Denis. Elle lui dit en se redressant :

– Si je comprends bien, tu l'aimais essentiellement pour ce qu'il t'apportait et non pour lui-même.

– Ton Gadget, tu ne l'aimais pas pour la même raison ?

« Merde, il voit juste, se dit Julie, étonnée de la perspicacité de Denis. On n'aime que les gens qui nous sont utiles... à un niveau ou à un autre. » Du coup, elle se calma. Son ami en fit autant.

– Tu sais Julie, je me suis demandé s'il existait vraiment, ton ami. Tant de secret autour de lui... Un fantôme.

– Tu n'as plus à te poser de questions. Gadget est définitivement un fantôme. Il n'y a plus aucun doute là-dessus.

Denis encaissa la réplique. Puis, il demanda, sans amertume ni agressivité, ces deux sentiments requérant trop d'énergie et de combativité pour qu'il puisse les ressentir à ce moment-là :

– Et toi, qu'est-ce que tu lui trouvais tant, à ton ami ?

Julie hésita. Mais le besoin de parler de son copain l'emporta sur sa réticence à dévoiler quoi que ce soit à son sujet.

– Gadget, c'était la folie, la turbulence, le risque, la vie. Tout le contraire de ton conseiller, quoi ! Pour moi, ton conseiller représente le quotidien, l'ennui, la mort.

– Exactement ce qu'il est... Mort..., dit-il en souriant tristement.

Julie regretta ses paroles. Celles-là et toutes les autres qu'elle lui avait balancées depuis son arrivée. Elle avait été odieuse avec lui. Se levant, elle embrassa Denis sur le front.

– Excuse-moi.

En se dirigeant vers la chambre elle ajouta :

– Je vais me coucher. Je suis tellement lasse. Et puis demain matin je dois me lever tôt pour aller aux funérailles de mon fantôme.

– Je te suis bientôt. Moi aussi je dois me lever de bonne heure pour assister aux funérailles de mon mort-vivant.

Ils se regardèrent en esquissant un sourire timide. Julie aurait tant aimé qu'à ce moment précis il la prenne dans ses bras et la berce en caressant ses cheveux. Mais Denis en était incapable. Elle haussa les épaules malgré elle et partit se glisser dans le lit comme un escargot se faufile dans sa carapace. Peut-être que le lendemain, au milieu des parents et des amis de Gadget, elle trouverait cette tendresse tant désirée. Était-ce pour cette raison qu'elle avait décidé d'assister aux obsèques ? Il y avait de cela mais, surtout, elle voulait voir la vérité en face. Réussir à vivre avec ne viendrait que plus tard.

Denis demeura encore un bon quart d'heure dans le séjour, après avoir éteint la lumière. Il se demandait pourquoi il voulait se rendre aux funérailles de Louis. Besoin de recueillement ? Possible. Étonnant, mais possible. Il y avait tout de même autre chose. Malgré la rebuffade qu'il avait essuyée au salon funéraire, il espérait encore amadouer le patron. Si ce dernier le voyait le lendemain à l'église, il comprendrait probablement que son défunt comptable et lui avaient tissé des liens importants. Bien davantage que des liens d'affaires. Et puis, il y avait Laurence. La jeune femme était sans doute une excellente comédienne. Qui plus est, elle voudrait probablement assister aux funérailles pour avoir la chance de le revoir à l'église. Dans un lieu aussi vaste, au milieu d'une foule nombreuse, elle serait davantage en mesure de parler à son amant d'un soir. Oh ! Ce n'est pas que Laurence avait quelque importance à ses yeux. Elle n'était qu'une conquête de plus à son actif. Mais il désirait effacer la mauvaise impression qu'il avait laissée. En lui parlant, Laurence comprendrait certainement que seule la réussite convenait parfaitement à ses capacités.

Denis ralluma la lampe, prit un calepin et un crayon qui traînaient sur une table et se mit à noter tous les renseignements concernant son entreprise susceptibles d'impressionner. Satisfait du bilan, il éteignit pour de bon et partit se coucher.

Il s'approcha de Julie qui dormait déjà profondément, allongée sur le côté. Il avait envie d'elle. Il sentit son membre se dresser au contact de ses fesses. Il en fut soulagé. Il décida cependant de ne pas aller de l'avant. Il craignait qu'elle soit peu réceptive vu la joute oratoire qu'ils venaient de disputer. Mais par-dessus tout, il avait peur de l'humiliation de ne pouvoir remplir ses promesses. Il se tourna donc de côté, fit tomber par terre un petit escargot qui avait élu domicile sur son oreiller et s'endormit du sommeil du juste.

Pendant ce temps, Louis et Gadget apprivoisaient la mort.

* *
*

– J'ai téléphoné chez toi quand j'ai eu fini mon montage.

– Tu voulais que je te félicite ? demanda Anne, ironique, en se blottissant contre Benoît.

– Oh ! Ce qu'elle est rigolote, dit-il en chatouillant le corps nu de son amie qui se contorsionnait en riant.

Il attendit une accalmie pour ajouter :

– Je voulais savoir si ta réunion de copropriétaires était terminée et si je pouvais venir.

– Tu n'avais qu'à te pointer ! rétorqua-t-elle en l'embrassant dans le cou.

– Je ne veux pas m'immiscer dans tes affaires.

Anne roula sur le dos en regardant le plafond. Benoît caressa son bras jusqu'à ce que les poils de sa copine se mettent au garde-à-vous.

– J'ai hésité à venir quand j'ai constaté qu'il n'y avait pas de réponse.

– Pourquoi ? demanda-t-elle en s'appuyant sur un coude.

– Je me suis dit que tu étais probablement dans un bar, à relaxer après la réunion. Je ne voulais pas entrer chez toi alors que tu n'y étais pas. Ou te voir ar...

Elle lui coupa la parole abruptement.

– On avait convenu que tu viendrais dormir à la maison, de manière à partir ensemble demain matin pour assister aux funérailles.

– C'est pour ça que je suis là, répondit Benoît en l'attirant vers lui.

Anne s'allongea contre lui en caressant son thorax. Elle se mit à y dessiner des vagues avec ses doigts, des oiseaux et... des clés. Des dizaines de clés minuscules dont elle traçait le contour sous les aisselles, sur les mamelons, le nombril, la taille... Des clés chatouillant Benoît, inconscient que son corps servait de toile aux esquisses de sa copine.

Pendant qu'elle jouait à l'artiste, Anne réfléchissait à la conversation qu'elle avait eue plus tôt avec Julie. N'était-ce pas le moment pour elle de choisir Benoît et de clarifier la situation avec lui ? N'y avait-il pas assez d'un fantôme flottant autour du couple, même s'il s'agissait d'un spectre bienveillant comme Coconut ? Il fallait faire disparaître ce squelette qui se cachait dans le placard : cette entente tacite de la liberté sexuelle qu'elle avait toujours réclamée et que son ami acceptait à contrecœur.

Anne s'assit en tailleur, ses boucles noires chatouillant la pointe dressée de ses seins. Elle dit en le regardant droit dans les yeux :

– Tu sais, Benoît, si je t'ai remis la clé, ce n'est pas pour que tu arrives face à face avec un autre gars.

– Ah. Bon, souria-t-il gentiment.

– Oui. Il n'y a plus que toi maintenant.

– Zut ! rétorqua-t-il en repliant ses bras derrière sa nuque. Moi qui voulais commencer à batifoler.

Ils rirent de bon cœur. Puis le silence envahit la pièce, charriant avec lui un flottement proche de l'embarras. Benoît caressa les pommettes saillantes de son amie. Il ouvrit la bouche, la referma, l'ouvrit à nouveau pour enfin se hasarder.

– Je n'ai pas envie d'aller voir ailleurs.

Elle lui sourit en embrassant son nez.

– Mais je ne tiens pas à faire de ton condo ma demeure.

Anne se redressa en répliquant, visage fermé, lèvres pincées :

– Ce n'est pas de cela dont il s'agit !

– J'avais pourtant l'impression que si.

Anne releva ses genoux en entourant ses jambes de ses bras.

– Tu t'éloignes alors que je me rapproche. C'est dommage.

– Pas du tout ! protesta-t-il en caressant le dos de son amie avec des gestes amples et fermes. La mort de Louis m'a fait prendre conscience que j'ai déjà perdu trop de temps à être malheureux. La vie est si courte ! Je ne veux plus me jeter tête baissée dans une relation où l'engagement est inégal, où l'amour est vécu de façon différente par l'un et par l'autre.

– Aujourd'hui je te propose l'exclusivité, lui dit-elle, une lueur d'espoir dans la voix.

– Aujourd'hui, oui. Hier ce n'était pas le cas.

Le nez retroussé de Benoît frémissait tandis qu'il souriait calmement.

– Demain, qu'est-ce que ce sera ?

– Ce sera comme aujourd'hui, répondit rapidement Anne en se tournant vers lui, ses yeux noisette pétillant à travers les mèches de cheveux qui encombraient son visage.

Lorsque l'honnêteté prit le pas sur l'anxiété, elle ajouta timidement en baissant les yeux :

– ...Je crois.

Elle plongea ensuite son regard dans les billes noires de son ami avant de conclure :

– Je le souhaite sincèrement.

– Moi aussi.

Ils s'enlacèrent doucement comme deux minous qui s'enroulent l'un autour de l'autre au milieu de l'herbe aux chats. Deux chatons qui entrecroisent leurs pattes et leur cou, se mordillant les oreilles, se léchant les yeux, le museau et les moustaches avec leur langue langoureuse. Deux félins qui s'amusent sous le soleil qui les brûle, jouant dans les herbes folles en emmêlant leurs poils soyeux et leur salive fraîche. Deux bêtes innocentes et belles qui miaulent de plaisir et de contentement. Deux chats qui se reposent enfin, pattes écartées, ventre offert au vent et au soleil.

– Laissons-nous le temps de digérer ce changement de cap, ronronna Benoît à sa compagne, après l'amour.

Elle fit signe qu'elle était d'accord tandis qu'elle s'étirait en ôtant les brindilles d'herbe emmêlées dans ses cheveux.

– Tu es importante à mes yeux, Anne. Mais j'ai envie de marcher vers toi. Pas de courir.

– Alors, allons-y lentement, murmura-t-elle à son tour.

Il parsema son visage de baisers silencieux. Après avoir embrassé les paupières de sa maîtresse, il dit en souriant :

– Et si on se hâtait lentement ?

7

Une petite pluie fine s'alanguissait sur les carrosseries des deux limousines noires ouvrant le cortège funèbre en ce vendredi matin plombé. Les gouttes ruisselant sur le toit des voitures tombaient en chapelets devant les vitres embuées. C'était de circonstance. Les maisons et les commerces affadis par cette bruine morne dégouttaient de partout. Les arbres chétifs bordant la rue aspergeaient les passants renfrognés qui observaient la longue file de voitures ternes et trempées suivant le corbillard.

Le silence régnait. La chaleur suffocante, l'humidité écrasante et la moiteur des cœurs interdisaient toute parole futile, toute conversation inutile. Stéphane collait son front contre la vitre de la limo bien plus pour éviter les échanges avec les membres de sa famille occupant les banquettes que pour regarder dehors. Il s'était enfermé dans un scaphandre étanche et avait plongé en eau profonde, là où l'on ne voit rien, où l'on n'entend rien mais où l'on sent grouiller des formes de vie inconnues qui inquiètent. Il y cherchait son oncle. C'est lui-même qu'il y trouva. Un être humain en détresse, blessé par l'absence, terrassé par la tristesse, confronté autant à la peur de vivre qu'à celle de mourir.

Assis à côté de son fils, Michel voyait le temps s'étaler comme un long fil sans fin enroulé sur une immense bobine qui commençait à peine à se dérouler. Le salon funéraire, le cortège dans les rues de Montréal, la célébration à l'église, le goûter servi dans une des salles, au sous-sol... Et tous ces sourires mitigés à rendre, toutes ces mains humides à serrer, toutes ces condoléances éculées à recevoir. Il attendait la délivrance avec impatience et crainte comme une femme sur le point d'accoucher.

Michel regarda dehors en enviant les gens qui le regardaient passer. À quand le retour à la normale ? Jamais ! Il n'y aurait plus jamais de retour à la normale. Pas la normale habituelle, du moins. Cette normale où l'on retrouve le frère à qui l'on parle de temps à autre sans savoir quoi lui dire... Les fêtes où on le voit, où on lui fait l'accolade, où on l'oublie dans un coin... Les commentaires que l'on passe sur sa vie, sur sa personne, en trouvant toujours à redire... L'amour qu'on lui voue comme un fardeau à porter.

Assis dans la limousine, seul au milieu de sa famille, il découvrait avec tristesse et déchirement qu'il était condamné à aimer Louis à jamais, comme un destin auquel on ne peut échapper. Il aurait été tellement plus... pratique d'oublier les liens tissés serrés au cours de l'enfance, ces liens distendus par l'âge adulte et les aléas de l'existence. Mais personne ne peut échapper à sa vie et à l'empreinte indélébile qu'elle laisse sur son passage.

Nancy tenait la main de son mari. Par habitude, certes, mais aussi pour lui indiquer qu'elle souhaitait sincèrement l'épauler en cette période triste de sa vie. Elle le faisait également pour elle, pour se réconforter, se donner l'illusion de ne pas être seule. Pour se rassurer aussi. Si elle soutenait Michel, il ne la laisserait pas tomber. Il resterait à ses côtés même si elle avait été odieuse avec Louis en le mettant au courant de la relation de son père avec Isabelle. Quel geste stupide, déclenché par des sentiments d'amertume, de dépit, de désir de vengeance ! Un geste d'autant plus idiot maintenant que sa haine envers Isabelle s'était effritée depuis leur conversation au salon funéraire... Ne restait plus que la lassitude.

Nancy regarda discrètement Michel, puis Yvon et enfin son fils totalement perdu dans ses pensées. Comme ils se ressemblaient ces trois-là ! Le même regard intelligent, le même front haut, le même port de tête. Elle cherchait avec anxiété ses propres traits dans ceux de Stéphane. Le nez rond ? Peut-être. Le menton volontaire ? Sans doute. Elle baissa les yeux, soulagée.

Ce soulagement fut de bien courte durée. Elle aperçut sur sa robe noire griffée une tache blanche, presque aussi grosse qu'un dix cents. Elle la gratta du bout de son ongle recourbé rouge cerise, fraîchement manucuré. La salissure résistait. Elle mouilla discrètement son doigt avec de la salive et en enduisit la tache avant de la frotter en repliant sur lui-même le tissu de la robe. Pourvu que sa toilette convienne ! Le noir était de mise. Pas de doute là-dessus. Mais la large ceinture dorée et les escarpins de la même couleur convenaient-ils ? Et que penser des manches longues et du jersey de laine en pleine canicule ? C'était limite. Que porterait Isabelle, si tant est qu'elle se présente à l'église ? La haine s'était peut-être retirée de l'esprit de Nancy mais pas la jalousie ni l'envie, ses deux cousines germaines.

La fébrilité d'Yvon avait été palpable au salon funéraire alors qu'on s'apprêtait à transporter l'urne à l'église. Il espérait et craignait tout à la fois qu'Isabelle s'y pointe. Sans nouvelles d'elle depuis la veille, tous les scénarios étaient possibles. Serait-il de bon ton qu'elle monte à bord de la limousine avec lui ? Probablement pas. L'idée de la voir prendre sa voiture et suivre derrière comme un paria ne convenait pas non plus. L'idéal serait qu'elle se rende directement à l'église si elle choisissait d'assister aux funérailles. D'un côté, sa présence donnerait du courage à Yvon. De l'autre, elle le mettrait mal à l'aise. Isabelle présente ou absente, il serait inconfortable avec lui-même. Il rêvait que cette journée se termine au plus vite mais ne voulait pas que la semaine suivante débute. Quelle vérité l'y attendait sur la mort de son fils ? Que le week-end s'éternise n'était pas davantage une solution adéquate. Comment vivre plus longtemps avec ce questionnement incessant, cette culpabilité latente, ce gouffre prêt à s'ouvrir sous ses pieds ?

Il regardait dehors depuis le départ du salon funéraire, le corps lové contre la porte, les cheveux écrasés sur la vitre. La limousine roulait aussi lentement que son esprit hébété. L'église apparut au dernier tournant de cet interminable itinéraire. Sur le parvis, plusieurs personnes attendaient. Parmi elles, Isabelle. Yvon la remarqua immédiatement ; sa beauté classique, son élégance, son corps mis en valeur par cette robe de soie bleu de méthylène, sa posture parfaite, ses cheveux blonds joliment bouclés par la bruine et l'humidité... Il ne pouvait se tromper, c'était bien elle. Lorsque la limousine stoppa devant les marches, le cœur d'Yvon battait à nouveau avec une certaine joie.

* *
*

Pris dans un embouteillage monstre, Benoît et Anne rongeaient leur frein. La cérémonie religieuse débutait à dix heures. L'horloge de la voiture indiquait neuf heures cinquante-cinq. Ils faisaient du surplace sur la Métropolitaine. La pluie, un accident impliquant deux mastodontes et le trafic dense du matin avaient eu raison de leur ponctualité et de leur bonne humeur.

– Je te l'avais dit ! On n'avait pas le temps de faire l'amour ce matin.

– Cela fait trois fois que tu me le répètes, Anne. J'ai compris, répondit Benoît, excédé.

Retrouvant un peu de légèreté au souvenir de leurs étreintes, il ajouta, narquois :

– Si je me souviens bien, je n'ai pas eu à insister beaucoup pour te faire changer d'avis...

Anne sourit tout en continuant à taper du pied.

– Tu crois que Coconut va nous en vouloir si on arrive quelques minutes en retard ?

– Bien sûr que non, trancha Benoît, catégorique, pianotant tout de même vigoureusement sur le volant.

– C'est ce que je pensais, conclut Anne en tournant frénétiquement une mèche de ses cheveux autour de son index, ses bracelets d'argent tintant comme des cloches accrochées au cou d'un troupeau de vaches marchant sur un sentier alpin.

Benoît appuya sur l'accélérateur lorsqu'il put enfin s'engager dans la bretelle menant à la rue Christophe-Colomb. La chaussée glissante le fit déraper.

– Je m'ennuie de Coconut mais ce n'est pas une raison pour aller le rejoindre tout de suite, souffla Anne qui avait empoigné son siège.

Benoît décéléra tout en louvoyant entre les automobiles pour se frayer un chemin plus rapidement. À dix heures douze, il garait sa voiture devant l'église. Ils gravirent deux à deux les marches menant à la porte centrale qu'ils ouvrirent et refermèrent délicatement. À leur grand soulagement, la cérémonie semblait à peine débuter. Ils s'avancèrent dans l'allée centrale et s'assirent sur un banc occupé par un couple d'âge mûr.

– Je sais bien qu'il ne nous en voudrait pas, chuchota Anne à son ami. Mais je préfère ne pas avoir à courir le risque. Qui sait ce qu'un fantôme en colère peut faire !

Ils se sourirent en entrelaçant leurs doigts tandis que le prêtre aspergeait l'urne à grands coups de goupillon. Puis il fit glisser sur sa chaînette le couvercle de l'encensoir diffusant avec abondance une forte odeur d'encens. Ce parfum mêlé à celui des vêtements détrempés satura l'air qui devint rapidement suffocant. Benoît toussota. L'officiant récita des prières, conviant les ouailles à répéter après lui : « Dieu est mon Sauveur. » Suivit un cantique d'espoir entonné par deux chantres de la paroisse. L'écho de leur voix étonnamment juste fit tressaillir Anne. Elle s'abandonna à l'atmosphère enveloppante que ce chant démultiplié créait et se laissa toucher par la tristesse, la solennité et le désir d'élévation qu'il faisait naître en elle.

Anne ferma les yeux et revit Louis prendre la décision fatidique de sauter dans le vide. Benoît, lui, appuya discrètement sa cuisse contre celle de son amie. La vie avait suspendu son cours de façon abrupte mais bientôt elle pourrait recommencer à s'écouler. Dans le calme, dans le fracas, dans la joie, dans la tourmente... Peu importe ! Elle bourdonnerait à nouveau.

* *
*

Julie avait mal dormi. Les cauchemars s'étaient succédé. Tantôt c'était Gadget qui soulevait le couvercle de son cercueil pour demander que le corbillard le transportant roule moins vite. « La vitesse tue », disait-il, les yeux exorbités. Tantôt, c'était Julie qui suppliait son ami de ne pas jouer au macchabée comme il le faisait depuis quelques jours. « Le destin pourrait te prendre au mot, disait-elle, et t'envoyer *ad patres* sans plus attendre ».

Lorsque le réveil avait sonné, seul Denis avait répondu à l'appel. À la question « Tu te lèves ? », elle avait répondu « Plus tard ». Il n'avait pas insisté. Les obsèques de son Gadget ne regardaient qu'elle. Il avait fait sa toilette, s'était habillé, avait pris un café et un muffin et avait quitté rapidement la maison pour se rendre aux funérailles.

Elle fut tirée du sommeil vers neuf heures, moment où les commères de la rue se réunissent sous la fenêtre pour potiner. Elle pensa ne pas aller aux funérailles, préférant croire un moment que son retard était un signe du destin l'incitant à rester chez elle. Cet écran de fumée fut rapidement dissipé lorsqu'elle repensa à sa nuit cauchemardesque. Gadget l'avait interpellée et elle devait aller à sa rencontre. Ce signe-là était incontournable. Julie se leva d'un bond, prit une douche en vitesse et enfila sans trop choisir une robe paysanne en coton. Elle mit du rouge sur ses lèvres et du noir sur ses cils.

Elle s'empara de la dernière barre de céréales, empoigna ses clés et son sac à main et sauta dans la voiture. Pourvu qu'elle arrive avant la fin de la cérémonie !

Elle perdit de précieuses minutes à chercher cette foutue église qui s'amusait à jouer à cache-cache avec elle. Garer la voiture se révéla également un exercice difficile. Elle trouva enfin un espace à peu près convenable, trois rues plus loin, pour constater en revenant au pas de course vers l'église qu'un stationnement pour les paroissiens se trouvait juste derrière. Elle grimpa l'escalier en vitesse et perdit pied sur l'avant-dernière marche. S'étalant de tout son long dans les flaques d'eau sale, elle souilla sa robe vert émeraude si bien agencée à ses cheveux roux. Elle se releva péniblement en regardant à la ronde dans l'espoir que personne ne l'ait vue perdre pied, sa dignité et l'équilibre avec autant de fracas. Seule une fillette d'environ six ans qui se retenait de rire avait été témoin de la scène. Julie essora sa robe et la replaça du mieux qu'elle put avant d'ouvrir avec d'infinies précautions une porte latérale. Elle entra et visa le dernier banc, vide de tout paroissien. Elle s'assit au moment où le prêtre allait s'adresser à l'assemblée.

– Mes très chers frères. Mes très chères sœurs. Nous sommes réunis aujourd'hui pour accompagner notre frère défunt aux portes de l'éternité.

Michel avait décliné l'offre de prononcer une oraison à la mémoire de Louis car il n'aurait su que dire. À entendre les premiers mots de l'homélie du curé, il le regretta presque. Tout, plutôt que ces mots creux probablement débités chaque fois que ce curé officiait depuis son ordination, c'est-à-dire depuis des lustres.

– Louis Lefrançois était un homme aimé de tous, poursuivit le prêtre en montrant la foule de la main comme pour étayer ses prétentions.

Ce sermon semblait parvenir de si loin aux oreilles de Julie ! Des kilomètres séparaient la voix du curé de la jeune femme. Elle ne se tenait plus affaissée au bout du dernier banc de l'église. Elle s'appuyait plutôt contre la Mustang de Gadget, attendant son ami dans le stationnement du collège, prête à faire une virée avec lui. Mais un nom prononcé par le prêtre ne cessait de résonner en elle, l'aspirant irrévocablement dans le présent. Elle avait beau s'accrocher au capot de la voiture, crier « Gadget ! » pour qu'il accourt et la retienne, ce nom la happait en plantant ses crocs dans sa poitrine. Une fois bien accroché à elle, le nom la transportait dans l'église, la traînant jusqu'au pied de l'urne où s'entassaient des cendres. Les cendres de Louis, ce nom que Julie avait refusé de prononcer depuis des années, préférant celui bien plus puéril et dorénavant périmé de Gadget. « Louis est pourtant un si joli prénom », se dit Julie, attristée.

– Ses collègues de bureau appréciaient son esprit d'équipe et ses qualités d'entraide et de générosité, continua le prêtre après une longue pause se voulant une invitation au recueillement de la part de ses ouailles. Ses clients estimaient la compétence et l'intégrité de leur comptable. L'un d'eux, monsieur Chauvette...

« Chaumette ! » grinça Denis entre ses dents.

– ...me disait tout à l'heure qu'il le considérait même comme son conseiller financier pour la gestion de son entreprise de...

Incapable de se rappeler ce que cet homme pouvait bien fabriquer, il conclut en toute hâte et n'importe comment vu la futilité de l'information :

– ...de sa petite entreprise.

Denis serra les poings, ulcéré. Non seulement le curé écorchait son nom, mais il qualifiait en plus son entreprise de *petite*. Pourtant, son stratagème était brillant et la première partie de sa mise à exécution, impeccable ! Denis s'était approché de l'officiant tandis qu'ils attendaient l'arrivée du cortège funèbre. Il lui avait parlé en des termes dithyrambiques du défunt, louant ses qualités de conseiller financier quant à la gérance des Pédalos Denis Chaumette incorporé. Il avait répété à plusieurs reprises à son interlocuteur son nom et celui de son importante entreprise. Le curé, trop content de pouvoir étoffer son homélie sur cet inconnu qu'était Louis Lefrançois, gobait ses paroles en hochant la tête. Lorsque le cortège arriva, Denis était convaincu que le prêtre mentionnerait son nom et son entreprise du haut de sa chaire. Ainsi, le patron du bureau verrait à quel point il avait de l'importance. Et voilà qu'à cause d'un plouc, sa ruse se soldait par un échec navrant.

Arraché à ses pensées déplaisantes par un bruit à l'arrière de l'église, Denis se retourna promptement. Il vit Julie enfiler l'allée centrale, les yeux fixés sur la petite photo exposée près de l'autel. Lorsqu'elle passa près de lui, il murmura son nom assez fort pour qu'elle l'entende. Elle s'arrêta net, se tourna vers lui, chancela, puis continua sa montée vers le but convoité. Elle devait voir immédiatement la photo déposée sur le tréteau près de l'urne pour se convaincre que le conseiller financier Louis Lefrançois de Denis était bel et bien son Louis Lefrançois, alias Gadget, comptable de profession. Voilà pourquoi elle s'était extirpée du banc en toute hâte un instant plus tôt, heurtant le prie-dieu avec son pied, ce qui avait fait tomber avec fracas un missel posé dessus en équilibre. Le bruit s'était démultiplié dans la réverbération.

Elle avait longé l'arrière de l'église pour accéder à l'allée centrale. Julie se foutait de son air ahuri, de son teint livide, de ses yeux hagards, de sa robe amochée par la pluie et la saleté et de tous ces gens qui devaient certainement la dévisager !

Michel vit s'avancer l'inconnue sans se soucier outre mesure de cette hystérique écorchant le décorum. Trop de souvenirs d'enfance venaient percuter son cerveau, faisant exploser sa carapace d'adulte. Le prêtre avait vu juste en louant l'esprit d'équipe de son petit frère. C'était d'ailleurs une des raisons qui avaient fait de lui un excellent joueur de soccer. Son entraide, sa générosité envers ses coéquipiers... Michel avait magnifié ces qualités lorsqu'il était son entraîneur. Ah ! Ce qu'il aimait cette activité. Il en aurait fait son métier mais il fallait bien grandir, quitter la cour de récréation et s'engager résolument dans la voie de la maturité. C'est ainsi qu'il était devenu pharmacien. Pas particulièrement passionnant comme travail. Payant par contre. Ça oui. Payant, gratifiant socialement... Et terriblement important aux yeux de son père, un élément clé dans le choix de sa profession. Il avait souvent envié Louis de s'être lancé dans la branche qu'il aimait et ce, malgré le désaccord de son père. Mais ça ne l'avait pas empêché de mourir, tandis que Michel, lui, vivait toujours. Un survivant qu'il était ! Il survivait même à sa propre vie, morte et enterrée depuis longtemps.

Il tourna la tête en direction de son père, assis à sa droite. Yvon fixait la jeune femme qui venait de frôler leur banc. Il la dévisageait, l'air interrogatif. Cette rouquine aux taches de rousseur et au corps pulpeux lui disait quelque chose. Plus il la regardait et plus il était certain de l'avoir déjà vue quelque part. Oui, mais où ? En creusant dans sa mémoire, il vit monter une image floue d'une femme qui portait un vêtement blanc. Une sorte d'uniforme... L'infirmière ! Il s'agissait de l'infirmière de l'hôpital Saint-Luc, où il avait passé la nuit lors de sa crise d'angoisse. Que faisait-elle aux funérailles de son fils ? Yvon cherchait à se remémorer leur conversation qui lui semblait s'être déroulée longtemps auparavant. Il lui avait parlé de Louis et elle, d'un ami récemment décédé. Son surnom était rigolo. Qu'est-ce que c'était déjà ? Go... Ga... Gadget ! Oui, parce qu'il était maniaque des gadgets, des gadgets se rapportant particulièrement aux voitures.

Yvon ne lâchait pas Julie des yeux, ses muscles tendus comme un boxeur qui s'apprête à recevoir un coup de poing. Il la vit qui s'arrêtait devant l'urne, haletante. Il la vit qui observait minutieusement le cliché placé juste à côté. Il la vit qui éclatait en sanglots tandis qu'elle restait plantée devant la photo, tétanisée. Et là, il comprit. Il comprit que l'ami pas sérieux pour deux sous de la jeune femme, ce fou des voitures, ce maniaque des gadgets, ce type qu'il aurait aimé connaître, c'était Louis, son propre fils. Ce surnom qu'il aurait voulu qu'on lui donne, c'est celui que portait son garçon. Seuls les agissements d'un étranger pouvaient autant le surprendre. À cette pensée, il baissa les yeux et pleura en silence.

Anne, qui commençait à peine à comprendre l'ampleur du quiproquo, se leva presque machinalement pour voler au secours de sa voisine. Elle enroula son bras autour des épaules de Julie en jetant un coup d'œil à la photo où Coconut lui souriait. Elle l'entraîna ensuite avec elle, happant au passage le regard d'un jeune homme, celui-là même qui avait pleuré son oncle bien-aimé à la table du bistro où elle travaillait. Benoît fit de la place pour la nouvelle venue en la gratifiant d'un sourire empathique tandis que Denis, dépassé, demeurait pétrifié sur son banc.

Le curé, qui avait remarqué la scène – une excitée remontant l'allée centrale jusqu'à l'urne passant difficilement inaperçue –, avait continué son homélie comme si de rien n'était. Outré qu'on lui vole la vedette, il s'était dit en homme de spectacle responsable que, malgré tout, *the show must go on !* Il avait parlé du frère, du père et du neveu que le défunt laissait dans le deuil. Il avait également mentionné la perte que son décès représentait pour ses amis, certainement nombreux, vu ses qualités exceptionnelles. Lorsque Julie fut de nouveau assise, il en était à :

– Louis Lefrançois, un homme aux mille facettes mais avec un seul grand cœur.

Le prêtre, voulant ménager ses effets, fit une pause avant d'ajouter :

– Un cœur capable d'aimer tous ces gens venus lui rendre un dernier hommage.

En ouvrant les bras, il avait ainsi créé un effet de manches des plus réussis. Puis, il passa la main sur la croix ornant sa poitrine, ramassa les feuillets posés devant lui et retourna à l'autel d'un pas pressé. Mission accomplie ! Il clôtura rapidement la cérémonie funéraire, poussé par quelque obscure nécessité de conclure au plus vite ces obsèques. La grande scène du troisième acte de Julie ainsi que la faim qui commençait à le tenailler (la faim ou la gourmandise, selon qu'on soit d'un esprit charitable ou qu'on se borne à dire bêtement la vérité), en étaient les motifs les plus probables. Il convia ensuite l'assemblée à partager un goûter qui les attendait au sous-sol de l'église.

Certains en profitèrent pour partir subrepticement, heureux d'entamer le week-end quelques heures avant ceux qui n'avaient pas eu la chan... la malchance d'être frappés par le deuil. Les autres se dirigèrent vers la salle paroissiale qui leur était réservée. Certains souhaitaient profiter d'un lunch gratuit, alors que d'autres cherchaient à créer des liens d'affaires, remplir une obligation familiale ou tout simplement passer le temps. Quelques-uns désiraient parler du défunt, échanger des souvenirs. En somme, ils repoussaient le moment où ils devraient couper le cordon qui les reliait au disparu et faire face au vide et à la solitude qu'engendrait nécessairement le décès.

Anne, Benoît et Julie furent les derniers à descendre au sous-sol, cette dernière marchant à la manière d'un zombie, la tête remplie de questions laissées sans réponse.

– Il est bien mort d'un accident de voiture... au moins ? laissa-t-elle échapper, s'agrippant encore au scénario qu'elle avait construit de toutes pièces.

– Non ! Qui t'a raconté ça ? dit Benoît, stupéfait.

Anne serra le bras de son ami et le regarda en relevant les sourcils pendant qu'elle pinçait les lèvres. Il comprit qu'il ferait mieux de se taire. Anne prit une grande inspiration avant de répondre à la question de sa voisine.

– Il est mort du cancer.

Julie encaissa le coup en s'adossant à un mur qui avait eu la bonne idée de se trouver là au moment opportun.

– Il ne m'a rien dit...

– Ça a été fulgurant. Il a appris qu'il allait mourir il y a trois mois, répondit doucement Anne.

– Je n'avais pas assez d'importance à ses yeux pour qu'il se donne la peine de m'en informer, murmura Julie, à nouveau au bord des larmes.

– Louis était un homme secret. C'était sa façon d'affronter l'adversité.

– Et de protéger ses amis de la souffrance, ajouta Benoît, sensible au désarroi de Julie.

Celle-ci ravala ses larmes, endossant avec reconnaissance les explications de Benoît. Puis dans un sursaut d'amertume, elle dit à Anne :

– Il te l'a dit, à toi !

– On était assez proches l'un de l'autre pour qu'il me fasse partager ce fardeau beaucoup trop lourd pour un homme seul, répondit lentement Anne. Et juste assez éloignés pour qu'il ne craigne pas de m'ébranler au point de me faire tomber.

– Quand on voit chanceler quelqu'un qu'on aime, on risque de vaciller soi-même sur sa base et de trébucher avant que la vie ne nous retire le socle sous les pieds, ajouta Benoît au grand étonnement d'Anne.

Il venait d'exprimer ce qu'elle ressentait avec une telle exactitude, une telle simplicité. C'était sidérant.

Descendu parmi les premiers, Denis, qui cherchait Julie dans la foule, n'hésita pas un seul instant à venir s'immiscer dans la conversation dès qu'il l'aperçut. Faisant fi de toute convenance, il ne prit même pas le temps de se présenter à Benoît avant de lancer à son amie, en la toisant :

– Je n'en reviens pas encore. Mon Louis et ton Gadget : une seule et même personne !

Il regarda le couple, l'air satisfait, avant d'enfourner une des nombreuses pointes de sandwich raflées au buffet.

– Moi, je n'en reviendrai peut-être jamais, répondit laconiquement Julie en fuyant son regard.

– Crever d'une crise cardiaque, c'est moins excitant que de mourir d'un excès de vitesse, dit Denis la bouche pleine, inconscient de l'étendue de la douleur qu'il infligeait à sa compagne.

– Et mourir d'un cancer, c'est plus lent mais c'est plus exact, ajouta d'une voix grave Benoît, qui avait pris cet homme en grippe.

Denis resta interloqué. Anne crut bon d'éclaircir la situation tout en jetant un œil mauvais aux gens bruyants et très bavards qui buvaient du vin sans retenue, juste à côté.

– En tout cas ! répondit Denis sur un ton bourru après avoir reçu ses explications – son flair l'avait trompé et ça l'enrageait. Une chose est certaine : il est mort, ajouta-t-il en riant stupidement.

Un silence lourd et gênant suivit ce constat. Julie fixait le sol en refoulant ses larmes tandis qu'Anne et Benoît détournaient la tête l'air de dire « Ce qu'il est con ! » Incapable de supporter cette atmosphère plus longtemps, Denis lança à la ronde, sur un ton de raillerie :

– Dire qu'elle trouvait Louis ennuyeux, assommant, insipide. Et tout ce temps-là, c'était de son Gadget qu'elle parlait !

Julie releva la tête et dévisagea Denis. Puis elle le gifla avec vigueur, provoquant ainsi un claquement qui fit se tourner bien des têtes dans leur direction. Interdit, Denis échappa les pointes de sandwich qu'il tenait. Il mit la main à sa joue, louchant carrément vers la droite, puis vers la gauche, afin d'évaluer l'étendue des dégâts au sein de l'assemblée. Il croisa les regards de Gilles Deschênes et de sa femme Laurence, offusqués que des gens puissent se laisser aller en pareilles circonstances à de tels états d'âme. Denis baissa les yeux, humilié, et quitta la pièce sur-le-champ. Julie en fit autant mais la tête haute, regardant avec défi ceux chez qui elle lisait de la réprobation. Ils prirent tous deux des chemins opposés.

– Va-t-elle revenir ? demanda Yvon qui venait de s'approcher d'Anne et de Benoît.

– Je ne le pense pas, répondit Anne, mal à l'aise.

– Dommage. J'aurais voulu la remercier.

– Pourquoi donc ? demanda Benoît, étonné.

Au lieu de répondre, Yvon y alla d'une autre question.

– Pourriez-vous me donner son numéro de téléphone ?

Le couple hésitait. Julie n'apprécierait peut-être pas qu'on la relance chez elle. Et qui était cet homme ? Quel lien avait-il avec... Avec qui au juste ? Louis, Coconut ou Gadget ?

– Je comprends vos scrupules. Ils vous honorent.

– C'est que..., balbutia Benoît.

– Pas la peine ! Je peux toujours la joindre à l'hôpital.

Benoît poussa un soupir de soulagement tandis qu'Anne faisait les présentations.

– Enchanté, je suis le père de Louis, dit Yvon en leur serrant la main.

« Et de Gadget », pensa-t-il, un éclair d'orgueil fugace traversant son regard.

« De Coconut aussi », se dit Anne, heureuse de faire sa connaissance. Stéphane se joignit au groupe en apportant à son grand-père un verre de vin.

– Je vous présente mon petit-fils, dit fièrement Yvon en étreignant l'épaule de l'adolescent.

– Nous nous connaissons, répondit Anne, souriante. Nous avons un ami commun.

– Mon oncle a toujours eu un faible pour les belles filles sympathiques, dit Stéphane en rougissant, lui-même surpris par son audace.

Tandis qu'Yvon admirait la hardiesse de son petit-fils, Michel et Nancy s'approchèrent du groupe, incommodés par la bière que leur ado tenait à la main. Lorgnant le verre, Michel toussota à quelques reprises sans émettre de commentaire. Stéphane leva son verre, le choqua contre celui de son père demeuré immobile et prit ensuite une gorgée, moins pour le défier que pour le mettre au fait d'une réalité. Michel but à son tour. Le dossier était réglé, au grand désespoir de Nancy.

– Vous étiez une amie de mon frère ? demanda Michel à Anne, histoire de faire diversion.

– Je le suis toujours, dit-elle en faisant un clin d'œil à Stéphane qui lui répondit par un sourire complice.

– Vous avez appris son décès par le journal, je présume ? dit Nancy pour meubler la conversation en frottant machinalement la tache blanche toujours apparente sur sa robe noire.

– Non. J'étais à son chevet quand il est mort.

Le cœur d'Yvon s'emballa. Les genoux de Michel fléchirent. Le visage de Nancy s'empourpra. Seul Stéphane resta calme, attentif aux derniers instants de son oncle. Benoît, inconscient de l'angoisse générée par les propos de son amie, jeta un coup d'œil dans la salle. Il aperçut, juste à côté de la table du buffet, une jeune femme qui lui rappelait celle avec qui il avait travaillé quelques jours auparavant. Après l'avoir examinée attentivement, il fut convaincu qu'il s'agissait bien de sa cliente de l'agence de voyages. Il s'excusa auprès du groupe qui n'en avait cure et alla rejoindre Isabelle. Anne eut un pincement au cœur lorsqu'elle vit cette belle femme en conversation avec son ami. La question d'Yvon la rappela à l'ordre.

– Il a souffert ? dit-il, incapable de demander ce qu'il voulait vraiment savoir, terrorisé à l'idée d'apprendre que son fils s'était peut-être suicidé.

– Non. La médication était excellente. On contrôle la douleur bien mieux qu'avant chez les cancéreux.

Les visages se détendirent. Même celui de Stéphane dont les rides parcourant le front indiquaient une certaine inquiétude. Anne confirmait que son oncle n'était pas mort du sida comme l'avait prétendu son père. Michel renchérit :

– Oui, le cancer. Quelle terrible maladie.

– Quand il a su ce que c'était, il n'y avait plus rien à faire, dit Anne qui demanda dans un même souffle : De quel cancer a-t-il souffert ?

Nancy dévisagea son mari qui questionna Yvon du regard. C'est Stéphane, le laissé-pour-compte, qui brisa le silence déjà lourd de culpabilité.

– On ne le sait pas.

Michel pensa ajouter : « On n'a pas osé poser la question par pudeur », mais l'énormité du mensonge l'incita à se taire.

– À moi non plus il ne l'a pas dit, mentionna Anne en toute naïveté. Il a simplement prétendu qu'il s'agissait d'un détail insignifiant qui ne changeait rien au fait qu'il allait mourir.

– Quel courage ! murmura Yvon, estomaqué.

Michel regarda son père, manifestement imprégné de respect et d'admiration envers Louis. Avant, il en aurait été jaloux. À présent, il partageait les mêmes sentiments que lui.

– Pourquoi s'être tu ? se demanda Yvon à voix haute, déconcerté.

– La personne qui divulgue un lourd secret voit parfois sa bravoure voler en mille morceaux au moment de se confier, répondit Anne à qui la question n'était pas adressée.

Le traiteur vint couper court à la conversation. Il souhaitait voir Michel pour régler certains détails. Tandis que ce dernier s'éloignait, Nancy en profita pour aller saluer des collègues. Elle entraîna Stéphane pour le présenter. Il la suivit à contrecœur.

Yvon, adossé au mur, et Anne, buvant du vin à petites gorgées, demeuraient silencieux. Des gens les frôlaient, d'autres les interpellaient. Eux ne bronchaient pas, perdus dans leurs pensées. Yvon reprit contact le premier avec cette salle paroissiale après que son regard hagard ait été happé par le visage d'Isabelle, discutant toujours avec Benoît.

– Ils se connaissent ? demanda Yvon en regardant dans leur direction.

– Apparemment, répondit Anne, stoïque.

Puis, perdant son impassibilité, elle enchaîna avec un soupçon de fébrilité dans la voix :

– Vous savez qui elle est ?

– L'ex-femme de Louis.

Yvon aurait pu dire « ma compagne ». Au lieu de cela, il la présentait comme la femme ayant été mariée à son fils. En fait, plus il se rapprochait de ce dernier, plus il s'éloignait d'elle.

– Louis et Coconut, répéta pour la deuxième fois Anne.

– Coconut ?

– C'est le surnom que je lui donnais. Vous savez comme il raffolait de la tarte à la noix de coco !

– Non, je l'ignorais. Je savais bien qu'il avait la dent sucrée, mais sans plus, répondit honnêtement Yvon, peiné. Que devrais-je savoir d'autre sur mon fils ? demanda-t-il, un triste sourire pendant aux lèvres.

– Qu'il se plaisait en compagnie des arbres, des colibris...

Anne réfléchissait.

– En fait, je sais très peu de choses sur lui. Je ne posais pas de questions. Je l'aimais beaucoup, cela me suffisait.

– Je ne posais pas de questions non plus parce que je pensais le connaître. Quant à l'amour filial, il était acquis. Aujourd'hui, je voudrais en savoir plus pour l'aimer autrement... pour l'aimer vraiment.

Anne nota son numéro de téléphone sur un coupon de caisse qu'elle trouva au fond de son sac et le remit à Yvon.

– Appelez-moi quand vous serez prêt. On partagera nos souvenirs.

– Je n'y manquerai pas, répondit Yvon en rangeant la note dans le compartiment secret de son portefeuille comme il l'aurait fait avec un gros billet.

Un moment de flottement s'installa entre eux. Ils avaient tant à se dire ! Malgré tout, ils hésitaient à entamer ce type de conversation au milieu d'une foule et dans un tel endroit. L'échange se révélerait trop riche d'émotions et de surprises pour qu'ils puissent les affronter à ce moment-là. Il faut préparer le terrain pour planter de tels souvenirs...

Soudainement soulagé du poids de la culpabilité d'un suicide imaginaire, Yvon sentit sa respiration s'alléger, son dos se redresser. Il en oubliait son anxiété des derniers jours et sa pénible balade en limousine. Même l'appétit lui revenait.

– Et si on faisait honneur au buffet ? suggéra-t-il, presque joyeux.

Il offrit son bras à Anne qui s'empressa d'accepter l'invitation si galamment présentée.

Benoît avait suivi la scène de loin tout en écoutant attentivement Isabelle.

– Je tombe des nues ! Coconut le souple, le flexible, l'inoffensif comme vous l'appeliez le jour du tournage, est la même personne que Louis le redoutable, Louis l'entêté...

Pourtant, Isabelle avait vécu dix ans avec son ex. Elle savait bien qu'il était un tendre, un permissif, un homme de compromis. Pourquoi n'avoir conservé que l'image d'un mari obstinément résolu à ne pas être père ?

– J'ai de la difficulté à imaginer Coconut, Louis si vous préférez, tenir tête à quelqu'un, commenta Benoît, encore étonné que ces deux personnes n'en forment qu'une. Mais à bien y penser, ce n'est pas si inconcevable. Il a tenu tête à sa mort en cachant à tout le monde la présence du cancer.

– C'est bien d'un cancer qu'il est décédé ? demanda Isabelle qui dissimulait mal l'onde de soulagement qui la parcourait. J'ai entendu parler d'un accident de voiture... D'une crise cardiaque...

– J'en suis absolument certain. Ma copine Anne l'a accompagné dans les dernières semaines de sa vie. Tenez, je vais vous la présenter.

Benoît toucha l'épaule de son amie qui passait devant lui avec Yvon, une assiette pleine de victuailles dans les mains. Il l'embrassa dans le cou, lui piqua des crudités et quelques pointes de sandwich avant de faire les présentations en bonne et due forme. Après les conversations d'usage, Anne dit à Isabelle en faisant le constat d'une réalité qu'elle découvrait :

– Je comprends maintenant pourquoi Louis ne voulait plus se lier à aucune femme. Vous êtes si jolie, si charmante...

– Il vous a dit ça ? chuchota Isabelle, soudain blêmie.

– Pas de cette façon. Rien n'était aussi clair avec lui.

L'ex-épouse de Louis fit un rictus, masquant à peine son désaccord avec les propos de son interlocutrice.

– J'ai simplement supposé qu'il avait vécu un gros chagrin d'amour. Aujourd'hui, cela me semble évident.

Isabelle, à la fois flattée, étonnée et terriblement désemparée, triturait le fermoir de son sac à main tandis que son regard passait d'Anne à Benoît, puis de Benoît au carrelage du sol et enfin du carrelage à Yvon. Ce dernier cacha son émoi en complimentant d'égale façon les deux femmes.

Le dernier radis avalé, Anne et Benoît prirent congé. Ne restèrent que trois personnes de ce petit groupe perdu dans la foule : Yvon, Isabelle et Louis, ce fantôme de plus en plus encombrant pour le couple devenu étranger l'un à l'autre.

Tellement encombrant qu'Isabelle prétexta un rendez-vous important à l'agence pour quitter aussitôt les lieux. Yvon ne la retint pas.

Après avoir terminé son assiette, il alla retrouver Michel qui voyait consciencieusement à ce que personne ne manque de rien. Il le félicita pour la manière dont il avait mené l'ensemble des funérailles et lui demanda s'il avait besoin de lui pour quoi que ce soit. Soulagé par sa réponse négative, il salua son fils, sa bru et son petit-fils, puis quitta la salle d'un bon pas.

Michel et Nancy tinrent le fort jusqu'à la fin, aidés en cela par Stéphane, exceptionnellement attentif et prévenant, attitude qui faisait oublier son jeans coupé et ses cheveux aubergine gominés. Après que la dernière personne eut franchi le seuil de la porte, Michel régla la note du traiteur et les services du curé. Nancy, quant à elle, se dirigea vers les toilettes pour coiffer ses cheveux et remettre du rouge sur ses lèvres, pourtant encore badigeonnées du même rouge cerise que ses ongles interminables.

Pendant ce temps, Louis, Coconut et Gadget se liaient d'amitié.

8

Lorsque Nancy sortit de la salle de bain attenante à sa chambre, elle avait le cheveu discipliné par une vaporisation intensive de laque, l'œil charbonneux, le fond de teint fraîchement peint au rouleau – elle ne supportait pas d'être à nue devant son mari car elle s'estimait trop moche – et des vêtements plus appropriés à ce début de week-end. Elle portait un pantalon de toile blanche aux jambes évasées très à la mode en ce début d'été, mais qui rapetissait sa silhouette déjà passablement ramassée. Son t-shirt de coton brossé rayé noir et blanc à l'horizontale ne l'avantageait pas non plus. Il l'élargissait et lui faisait une poitrine encore plus disproportionnée qu'à l'habitude, distordant en tous sens les rayures.

Michel, lui, s'était changé en vitesse dès son retour. Comme si quitter un complet marine austère pour sauter dans un pantalon de serge beige et un polo bleu ciel estival pouvait effacer le contact visqueux qu'il avait eu avec la mort ! Il apprendrait bien assez vite que la mort c'est comme la poix, ça vous colle à l'âme et ça ne vous lâche pas. Mais pour le moment, il se berçait de cette illusion qui permet de passer à travers les heures qui vous séparent des funérailles au retour à la vie courante. Il avait même fait exprès d'enfiler son polo préféré, celui qui camouflait à merveille son ventre rebondi. Du moins, c'est ce qu'il se plaisait à croire. En fait, il avait tout simplement l'air d'un homme bedonnant cherchant à cacher ses rondeurs disgracieuses. Il avait utilisé ce même genre de stratagème lorsqu'il avait tenté de dissimuler sa calvitie à l'aide d'une mèche de cheveux prise sur le côté de la tête et rabattue sur le dessus du crâne. Mais la ruse fit long feu et il cessa de faire semblant qu'il avait des cheveux peu de temps après la séparation de Louis d'avec Isabelle.

Il avait élaboré un plan pour avoir un après-midi bien chargé. Cela lui éviterait de penser, ce qu'il jugeait tout à fait approprié dans les circonstances. La pluie s'était arrêtée, le soleil avait percé les nuages et semblait même vouloir s'incruster. Michel pourrait donc passer à l'action. D'abord, nettoyer en profondeur le barbecue et en changer la bonbonne de propane, seulement après s'être protégé avec un tablier. Nancy ne supporterait pas qu'il salisse ses vêtements pâles. Puis, travailler son *swing*, histoire de déboulonner sa femme qui jouait au golf comme une vraie pro. Ensuite, piquer un petit roupillon sur une chaise longue sous le saule pleureur qui servirait, pour une fois, à autre chose que de percer les fondations de la maison avec ses racines.

En sortant de la chambre, il s'était dirigé vers les toilettes situées près du *bunker* de son fils, la salle de bain du couple étant occupée par Nancy. Quand sa femme s'enfermait là-dedans, il aurait fallu être devin pour savoir quand elle en sortirait. Mieux valait s'arranger autrement. La porte de l'antre de Stéphane était fermée, comme à l'habitude, et aucun son n'en sortait. Probablement qu'il s'amusait à l'ordinateur. Après s'être soulagé, Michel se rendit machinalement vers la porte d'entrée pour aller chercher le courrier. À quinze heures, le facteur était certainement passé. Michel attendait un remboursement d'impôt qui tardait à venir, ceci en raison d'une erreur de son comptable. Non pas qu'il doutait de la compétence de son frère, mais il n'avait jamais voulu mêler un membre de sa famille à ses affaires.

Il entrouvrit la porte, prit les lettres déposées dans la boîte et referma aussitôt. Il examina rapidement le contenu de sa pêche : des circulaires. « Une vraie plaie », se dit-il en continuant d'éplucher le courrier ; un carton promotionnel d'Estée Lauder... Sa femme dépensant une fortune en produits de beauté, il était tout naturel qu'elle figure sur leur liste d'envois ; un compte de Visa pour Nancy... « Au rythme où elle dépense, je songe sérieusement à la faire interdire », marmonna-t-il, indisposé ; une enveloppe crème... Deux enveloppes crème ! Oh, et si c'était les remboursements d'impôt ! Michel les examina, fébrile, mais déchanta rapidement. Ces lettres ne provenaient ni du gouvernement provincial, ni du gouvernement fédéral. Curieux, il jeta un œil à l'adresse de retour : le cabinet de comptables où Louis travaillait. Des lettres de condoléances de ses collègues ? Belle attention de leur part mais... n'était-ce pas un peu rapide ? Il examina de nouveau les enveloppes. L'une lui était destinée. L'autre, à Stéphane. Les adresses, manuscrites, à l'écriture vacillante, ne correspondaient pas aux envois de ce type d'entreprise. À quoi lui faisaient penser ces belles lettres rondes bien que chancelantes ? À sa mère ! C'est sa mère qui écrivait d'aussi belle façon. Seul Louis avait hérité de cette calligraphie que Michel lui enviait tant. Louis...

Lorsque Nancy referma la porte de la salle de bain avec fracas, son mari ne l'entendit pas. Lorsqu'elle ramassa ses clés sur la console et qu'elle avança sur le carrelage de l'entrée avec ses talons aiguilles, il ne l'entendit pas davantage. Lorsqu'elle lui demanda : « Qu'est-ce que tu fais là ? » il cilla, mais ne bougea pas d'un iota. Pressée de prendre la voiture pour aller porter sa tache blanche et sa robe noire chez le teinturier, elle n'avait pas encore remarqué que Michel se tenait debout au milieu du courrier éparpillé sur le sol, ses mains serrant très fort deux lettres. Lorsqu'elle en prit conscience, elle s'approcha de lui et regarda par-dessus son épaule. Tout ce qu'elle vit, c'étaient deux enveloppes anodines couvertes d'une écriture mal assurée.

– Qu'est-ce que c'est ? s'enquit-elle nonchalamment en ramassant le courrier tombé par terre, sans vraiment attendre de réponse.

Jetant un œil sur la correspondance, elle mit de côté les circulaires qu'elle regarderait plus tard. Puis, elle s'empressa de glisser le compte de Visa dans son sac à main – elle cachait toujours le montant faramineux de ses achats à son mari – et sauta sur le carton promotionnel d'Estée Lauder.

– Oh ! La crème de jour antirides dont j'avais besoin ! J'attendais ce solde avec impatience, dit-elle avec enthousiasme pour montrer à son mari qu'elle était économe. Ça vaut vraiment la peine. Tiens, je vais...

– Louis nous a écrit, prononça lentement Michel, sortant peu à peu de sa stupeur.

– Voyons ! Qu'est-ce que tu dis là, répondit de façon débonnaire Nancy, excitée à l'idée d'aller chercher son précieux petit pot de crème de jouvence. Va donc te reposer. T'en as besoin.

Michel mit les lettres sous le nez de sa femme en bégayant :

– Ce sont des enveloppes du bureau de Louis...

Il montrait du doigt l'adresse de retour imprimée en haut de l'enveloppe, à gauche.

– C'est son écriture...

Il tapotait sur les noms avec son index tremblotant.

Nancy, toujours aussi incrédule, prit les lettres des mains moites de Michel et regarda attentivement les enveloppes adressées à Michel et Stéphane Lefrançois. Ses genoux fléchirent tandis que son teint virait au gris malgré l'épaisseur de son maquillage. Un instant, elle perdit contenance. Elle laissa tomber robe, sac à main et carton Estée Lauder, sa respiration haletante trahissant son anxiété à l'idée de la teneur de ces lettres. Puis, en femme pragmatique qu'elle était, Nancy retrouva rapidement ses esprits. Mieux valait savoir tout de suite l'étendue des dégâts. Elle s'apprêtait à ouvrir l'enveloppe au nom de son mari lorsque ce dernier la lui arracha des mains.

– Cette lettre m'est adressée, dit Michel, décidé.

– Toi... Moi... C'est pareil ! éluda sa femme, essayant fébrilement de reprendre l'enveloppe.

– Non, Nancy. C'est tout sauf pareil.

Voyant qu'elle ne réussirait pas à intercepter la lettre ni à faire fléchir son mari, elle changea de tactique.

– Alors, ouvre-la !

– Pas tout de suite.

Michel tenait la lettre comme s'il tenait la main d'un enfant à qui il s'apprêterait à faire traverser une rue achalandée.

– Il faut bien que tu saches ce que ton frère a à dire.

– Ce n'est pas à toi qu'il veut dire quelque chose. C'est à moi.

Il lui enleva l'autre enveloppe qu'elle tenait toujours dans ses mains.

– ...Et à Stéphane.

Il fit un pas en direction de la chambre de son fils avant de conclure :

– C'est à nous de décider du moment où on lira notre courrier.

Il quitta l'entrée et alla directement frapper à la porte de son fils.

– Quoi ? cria Stéphane qui ne voulait pas être importuné dans le seul endroit de la maison où il avait l'impression d'être chez lui.

– Je m'excuse de te déranger, mon gars...

Michel restait à l'extérieur de la pièce, désireux de respecter l'intimité de son garçon.

– ...Mais c'est important.

Stéphane entrouvrit la porte, étonné par la délicatesse de son père.

– Qu'est-ce que tu veux ? baragouina-t-il, feignant plus d'agacement qu'il n'en ressentait vraiment.

– Il faut que je te parle.

Stéphane leva les yeux au ciel comme si on lui demandait la lune.

– Plus tard. OK, p'pa ?

Il allait refermer lorsque son père retint la porte avec son pied.

– Non, Stéphane. Tout de suite.

Michel, inhabituellement calme et poli, n'en était pas moins ferme. L'adolescent le laissa donc entrer, mais il retourna s'asseoir devant son ordinateur, continuant à clavarder comme si son père n'était pas là. Ce dernier s'avança et déposa sur le clavier la lettre qui était adressée à son fils.

– Qu'est-ce que c'est ? demanda Stéphane comme s'il n'avait jamais vu une lettre de sa vie.

– Une lettre, mon gars. Une lettre, répondit Michel, soudain excédé par la question idiote de ce jeune illettré. Elle t'est adressée, se reprit-il aussitôt d'un ton plus doux.

– C'est de qui ? demanda Stéphane qui prit l'enveloppe en l'examinant.

Il lut son nom écrit à la main. Ne comprenant toujours pas, il regarda son père qui s'était assis sur le lit, une enveloppe identique à la sienne entre les mains.

– Il nous a écrit, Stéphane, murmura Michel, la voix éraillée, le menton tremblotant.

– Qui ? demanda le garçon dans un souffle, sachant déjà instinctivement la réponse.

Michel se taisait, les yeux noyés dans ceux de son fils, éberlué.

– Mon oncle ? Mais... Comment il aurait pu faire ça ?

– En prenant un crayon et du papier, répondit bêtement Michel, avec un sourire à la fois triste et compatissant pour la question stupide de son garçon.

Stéphane posa à nouveau les yeux sur l'enveloppe qu'il caressait du bout des doigts. Sans que rien l'y prépare, il se mit à sangloter comme un enfant soudainement submergé par un gros chagrin. Michel, décontenancé, s'approcha de son fils et passa la main sur sa tête collante de gel. Il quitta la pièce en refermant doucement la porte derrière lui. Il alla à sa chambre, sa lettre toujours scotchée à la main, sous le regard apeuré de sa femme. Il referma la porte, l'ouvrit quelques minutes plus tard et se dirigea vers la cuisine, sans dire un mot.

– Qu'est-ce qu'il t'a écrit ? cria Nancy d'une voix craintive, appuyée contre la porte d'entrée depuis que son mari avait pénétré dans la chambre de Stéphane.

– Je ne l'ai pas encore lue, répondit placidement Michel sans la regarder, en enfilant le tablier suspendu à un crochet dans la cuisine.

Puis, il sortit dans la cour arrière en laissant grande ouverte la porte-moustiquaire. Une mouche en profita pour entrer dans la maison et faire de la cuisine son terrain de jeu.

Nancy, bras ballants, psalmodia à la manière d'un mantra, s'adressant à la fois à son mari et à son fils, les deux mâles de la famille ignorant constamment ses directives :

– Combien de fois je vous ai dit de fermer la porte-moustiquaire ? Vous faites entrer les mouches dans la maison.

De l'entrée, elle pouvait voir Michel qui s'activait sur le barbecue avec une lenteur qui lui était étrangère. Une maison de plain-pied à aires ouvertes, c'est bien pratique pour épier les faits et gestes de chacun ! Elle entendait son fils sangloter derrière la porte fermée de sa chambre. Cela lui crevait le cœur. Quand l'avait-elle entendu pleurer, la dernière fois ? Cela faisait si longtemps, qu'elle ne s'en souvenait plus. Sans doute au dernier jour de son enfance, tout juste avant que son orgueil de jeune ado lui interdise de s'épancher devant sa mère.

Elle s'avança pour aller le consoler. Le son aigre de ses talons aiguilles percutant bruyamment le marbre du carrelage se mêlait au bourdonnement strident de la mouche télescopant la fenêtre fermée de la cuisine. Elle posa la main sur la poignée de la porte et la tourna délicatement. Elle figea dans cette position, incapable d'aller au bout de son geste. Nancy avait peur. Peur que Louis ait déblatéré contre elle dans sa lettre à Stéphane. Ce n'était pas le genre de son beau-frère, mais qui sait ce que la souffrance morale peut vous pousser à faire ! Et si son fils lui en voulait terriblement ?

Nancy s'éloigna de la chambre pour se diriger vers la cuisine. Elle ferma machinalement la porte-moustiquaire tandis que la mouche voletait autour de sa tête avec tapage. Nancy observait Michel travaillant avec application quand, soudain, elle pivota sur elle-même et courut jusqu'à l'entrée.

Elle ramassa sa robe noire, son sac à main et l'offre spéciale d'Estée Lauder qu'elle avait laissé tomber plus tôt et sortit précipitamment.

Dans la maison tout était silencieux, abstraction faite des sanglots de Stéphane qui allaient en s'alanguissant derrière sa porte close, sans pour autant cesser tout à fait. Sans compter également la mouche qui, lasse du décor de la cuisine, avait volé jusqu'au petit bureau attenant à la chambre du jeune homme. Elle s'était empêtrée dans les rideaux plein jour qui battaient au vent, en bourdonnant rageusement.

C'est au milieu de ce silence que le grincement d'une porte qui s'ouvre se fit entendre. Derrière la porte d'entrée, Nancy. Ou plutôt, la tête de Nancy, scrutant les alentours. Puis, ce fut tout son corps qui pénétra dans la maison. Le corps, mais sans les chaussures qui, elles, se baladaient au bout du bras de leur propriétaire. Cette propriétaire qui referma doucement la porte et qui attendit, aux aguets. Lorsqu'elle fut certaine que Stéphane n'avait pas remarqué sa présence, elle avança sur la pointe de ses pieds nus en s'assurant que son mari était toujours dans la cour. En effet ! Il astiquait le barbecue comme il l'aurait fait à la fin de l'été, juste avant de le ranger. Il en aurait pour une bonne heure encore à être occupé !

Tranquillisée, elle pénétra rapidement dans sa chambre et se dirigea vers le placard de son mari. Elle l'ouvrit, déploya le petit escabeau qui s'y trouvait, grimpa dessus et agrippa une boîte de chaussures mal dissimulée sous un vieux chandail de laine, au fond de la tablette du haut.

Pauvre Michel ! Il croyait sa cachette à l'abri de tout piratage, alors que Nancy l'avait localisée depuis longtemps. Elle en connaissait même le contenu par cœur ! Une mèche des cheveux de Stéphane, bien avant que la teinture aubergine et le gommage ne les aient massacrés ; une photo de sa mère à son quarantième anniversaire ; une autre de son frère et de lui, enfants, sur un terrain de soccer ; une dernière de Louis et d'Isabelle à leur mariage, la belle-sœur étant très certainement la raison de cette photo dans la boîte.

Aucun des souvenirs qu'il conservait comme il l'aurait fait d'un trésor n'avait rapport à sa propre femme. Pas le moindre petit cliché, pas la plus petite mèche de ses cheveux... Découvrir dans cette boîte un de ses slips affriolants et affreusement chers, amoureusement subtilisé par un mari fétichiste, l'aurait comblée d'aise. Même une touffe de sa toison noire de femme faussement auburn balancée dans du papier kraft, cela aurait fait l'affaire. N'importe quoi aurait été préférable à cette vacuité intolérable.

Nancy ouvrit rageusement la boîte, après avoir laissé choir sur la moquette ses talons aiguilles qu'elle tenait toujours à la main. Elle y découvrit ce qu'elle était certaine d'y trouver : la lettre cachetée de Louis, déposée sur les photos. Elle la ramassa, referma rapidement la boîte, la replaça là où elle l'avait trouvée, descendit de l'escabeau en toute hâte, rangea celui-ci, ferma la porte du placard de son mari, donna un coup de pied à ses chaussures qui volèrent sous le lit, sortit de la chambre pour entrer au pas de course dans la cuisine après s'être assurée que la porte de Stéphane était toujours fermée et que Michel ne la voyait pas passer.

Fébrile, elle mit de l'eau à bouillir en surveillant tantôt son mari penché sur le barbecue, tantôt la porte de la chambre de son fils. Lorsque l'eau arriva enfin à ébullition, Nancy suspendit l'enveloppe au-dessus de la vapeur pour l'ouvrir sans avoir à la déchirer. C'est ce moment que

Stéphane choisit pour sortir de sa chambre. Blême, les yeux rougis, le t-shirt de travers, l'acné pontifiante, il se précipita sur la porte-fenêtre en évitant le regard de sa mère tandis que cette dernière baissait précipitamment les bras en cachant la lettre derrière son dos. Il fonça dans la porte-moustiquaire qu'il n'avait pas vue, son enveloppe ouverte, écrasée dessus. Il s'arrêta, ébaubi, puis ouvrit la porte avec force, la faisant ainsi sauter de sa glissière. La porte-moustiquaire tomba d'abord sur le balcon pour ensuite débouler les marches et atterrir sur la pelouse. Michel, qui en d'autres circonstances se serait fâché, se contenta de la ramasser et de la remettre en place. Il salua prestement son épouse, rouge comme une pivoine, avant d'aller retrouver son fils, assis sur la balancelle.

Nancy, tétanisée, la tête noyée dans la vapeur d'eau, fixait la balancelle où son mari et son fils discutaient à voix basse. Eux, qui ne se parlaient plus depuis longtemps, échangeaient amicalement à présent. Qu'avaient-ils tant à se dire ? L'inquiétude la rongeait mais elle réussit à la mettre de côté afin de mener à terme son projet d'ouvrir cette foutue lettre sans laisser de trace. N'était pas né celui qui évincerait Nancy de la vie de Michel. Il faudrait compter avec elle, pour toutes choses et en toutes circonstances ! Forte de ces considérations, elle remit résolument la lettre au-dessus de la vapeur jusqu'à ce que la colle cède et que le rabat de l'enveloppe s'entrouvre. Elle sortit les feuillets avec d'infinies précautions et les déplia, le cœur battant. Puis, elle en lut les premières lignes avec avidité.

> *JE LE SAVAIS ! Je savais que tu serais incapable de résister à la curiosité de lire cette lettre. Elle ne t'est pourtant pas adressée. Alors, referme-la immédiatement, Nancy !*

Nancy eut un mouvement de recul, les feuillets frémissant dans ses mains moites. Elle regarda instinctivement vers le haut, comme si elle s'attendait à y voir le spectre de Louis, l'air courroucé. Aucun fantôme ne flottant au plafond, elle replongea dans sa lecture, malgré une respiration de plus en plus difficile.

J'ai dit : IMMÉDIATEMENT.

C'en était trop ! Nancy referma la lettre et la remit aussitôt dans l'enveloppe, le cœur cherchant à sortir de sa poitrine. Elle jeta un œil dans la cour pour s'assurer que Michel et Stéphane y étaient encore, puis elle se rua dans le bureau, la lettre lui brûlant maintenant les doigts. Elle prit la colle en bâton déposée sur la table de travail et en enduisit le rebord intérieur du rabat. La mouche, qui se mesurait aux rideaux depuis déjà trop longtemps, quitta leurs volutes pour aller se poser sur le bord de l'enveloppe que Nancy avait commencé à refermer, se faisant ainsi coincer dans la colle avant d'être écrasée par l'index de la femme affolée. Une aile de la mouche pendouillait à l'extérieur du bord collé de l'enveloppe, le reste de son corps formant un renflement sous le repli. Nancy arracha une partie de l'aile et aplanit du mieux qu'elle put la bosse avec son ongle, qui céda sous la pression. Elle se propulsa ensuite dans la chambre et remit la lettre dans la boîte qu'elle replaça à l'endroit où elle l'avait trouvée.

Effarée, elle tourna en rond quelques minutes avant de quitter la maison, pieds nus, pour aller se réfugier dans sa voiture. Les mains crispées sur le volant, les yeux exorbités, les mâchoires contractées, Nancy partait pour un long voyage au pays de ses terreurs. Nul besoin de mettre le moteur en marche pour ce faire. Ses pensées et ses questions obsédantes s'en chargeraient aisément. Comment Louis avait-il su pour la lettre ouverte en cachette ? Les agissements de Nancy étaient-ils à ce point prévisibles pour que son beau-frère puisse les anticiper avec autant de clairvoyance ? Quand Michel lirait-il la lettre et que dirait-il en parcourant ces quelques lignes assassines ? Il dirait certainement que Louis avait eu raison. Tout le prouvait : le bord de l'enveloppe ondoyant en raison de la colle... La mouche emprisonnée... Qu'en penserait-il ? Et que disait Louis à son frère, à propos de la femme qu'il avait épousée par obligation morale ? Car Nancy n'était pas dupe. N'eut été de l'enfant qui grouillait dans son ventre, Michel ne lui aurait jamais passé l'anneau au doigt. Est-ce que Stéphane serait mis au courant des bassesses de sa mère ? Comment réagirait-il si cela s'avérait ? Et Michel, son Michel... Allait-il la détester ? Nancy posa la tête sur le volant, ses mains toujours crispées dessus, et se mit à pleurer sans retenue, en grosses mottes de larmes s'extirpant de ses yeux asséchés par des années de résistance passive au mépris silencieux de son mari.

Pendant ce temps, dans la cour arrière, le père et le fils discutaient toujours, en phrases syncopées, assis sur la balancelle.

– C'est vrai que tu étais entraîneur de soccer ? demanda Stéphane qui tenait l'enveloppe ouverte entre ses mains, un bout de lettre dépassant de l'ouverture maladroitement déchirée.

– Oui, répondit succinctement Michel.

Il imprégna un mouvement à la balançoire qui commença à osciller.

– Tu ne te souviens pas ? ajouta-t-il, berçant doucement son fils de la seule manière que ce dernier pouvait dorénavant accepter. Je t'apprenais à jouer quand tu étais petit.

– Ça fait tellement longtemps !

Michel sourit, ému. Stéphane était à peine sorti de l'enfance que déjà, il la sentait loin derrière lui, perdue dans un brouillard dense d'où peu d'images réussissent à s'évader.

– Mon oncle m'a donné deux billets pour la partie de soccer du 15 juillet, dit-il en les sortant de l'enveloppe. Il m'a suggéré qu'on y aille ensemble... Toi et moi.

– Tu penses que c'est une bonne idée ? demanda Michel, fébrile, continuant de bercer son garçon en catimini.

– Ouais, répondit Stéphane, un peu comme on donne la réponse à un problème d'arithmétique sans être certain que c'est la bonne.

– Moi aussi.

Ils se sourirent timidement. De longues minutes s'écoulèrent au rythme fluide de la balancelle toujours en mouvement, avant que Stéphane n'ouvre à nouveau la bouche.

– T'as lu ta lettre ?

– Non.

Michel crispa les mâchoires.

– T'as pas envie de la lire ? insista son fils avec d'infinies précautions dans la voix.

– Oui, j'en ai envie.

Michel hésitait à dévoiler le fond de sa pensée. Puis, il plongea sans chercher à s'expliquer pourquoi :

– Mais j'ai peur de ce que Louis a à me dire.

– Il va te dire qu'il t'aime, p'pa, murmura Stéphane, déclarant ainsi secrètement à son père tout l'amour qu'il lui portait.

– Je n'en suis pas certain, laissa tomber Michel, inquiet.

– Moi, oui.

Michel lui sourit, reconnaissant pour les encouragements que son fils lui prodiguait. Puis il lui avoua en imprimant à nouveau un mouvement de va-et-vient à la balancelle :

– Tu vois, mon gars, même ça, je ne serais pas prêt à l'entendre... Maintenant.

* *
*

Julie avait descendu les marches du parvis de l'église telle une reine empruntant l'escalier central de son château ; fièrement, la démarche assurée. Quelque chose venait de changer. La gifle collée à Denis avait affranchi Julie comme si cette claque avait catalysé toutes ses frustrations engrangées depuis des années pour enfin déclencher le passage à l'action. Quelle action ? Julie n'en savait encore rien, mais cela lui importait peu. À cet instant-là, elle se contentait de jouir purement et simplement du pouvoir que procure la réappropriation de son existence. Le signal du départ avait sonné.

Il avait même retenti haut et fort. Quelle que soit l'avenue qu'elle choisirait d'emprunter, elle parcourrait le chemin jusqu'à ce qu'elle arrive à destination, peu importe où.

Incapable de se confiner dans l'habitacle de sa voiture, Julie décida d'aller prendre l'air dans le parc du Sault-aux-Récollets, à vingt minutes de marche de l'église. Le temps s'était éclairci et elle se sentait prête à courir le marathon de la remise en question. Au début, elle ne songea à rien d'autre qu'à mettre un pied devant l'autre. Puis, chemin faisant, les pensées vinrent s'empiler dans son esprit, charriant tous les sentiments venant avec.

Elle éprouva d'abord du ressentiment à l'égard de Gadget.

– Comment a-t-il osé me cacher sa relation d'affaires avec Denis ! dit-elle à voix haute en parcourant d'un pas rapide le sentier longeant la rivière. Était-ce vraiment nécessaire qu'il aille prendre un verre avec lui de temps à autre ?

Ses semelles crissaient sur le gravier presque aussi bruyamment que ses certitudes entrechoquant la réalité fraîchement découverte.

– Je ne peux pas croire qu'il appréciait ces rencontres informelles avec Denis Chaumette !

Les arbustes bordant le sentier en prenaient pour leur rhume au passage de Julie qui en arrachait des branches à pleines mains sous le coup de la rage. Elle s'arrêta net lorsque ses doigts vinrent en contact avec un bosquet de ronces. Malgré les apparences, ce ne furent pas les aiguillons de l'arbrisseau qui l'immobilisèrent, les pensées pouvant vous paralyser tout autant et même plus que des épines de deux centimètres de long. Non. Ce fut plutôt l'idée fulgurante que Gadget ne lui avait rien caché du tout. Il s'était abstenu de parler de sa profession et de ses clients, ce qui est différent, et elle s'était bien gardée de poser des questions. De toute façon, comment aurait-il su que Denis Chaumette était le copain dont elle lui parlait à l'occasion et qu'elle nommait *mon chum* ? Elle ne se souvenait pas non plus de lui avoir jamais parlé de l'entreprise de pédalos que son amant exploitait, le sujet étant totalement inintéressant à ses yeux. Et puis, pas un comptable ne connaît par cœur l'adresse de ses clients et comme Louis n'avait jamais mis les pieds chez elle...

Julie prenait conscience, avec effarement, que tout un pan de la vie de son ami avait été occulté, autant par elle que par lui. Aimait-il son travail ? Était-il un comptable consciencieux ? Assurément, s'il fallait en croire Denis. Qui eut cru que ce dernier pourrait en apprendre à Julie sur son ami de collège !

– Sûrement pas moi, murmura-t-elle en bifurquant vers la rivière.

Elle se demanda ensuite si Gadget entretenait des relations privilégiées avec certains de ses clients ? Si oui, Denis en faisait-il partie ?

– Impossible ! se dit Julie qui soliloquait comme elle le faisait toujours lorsqu'elle était seule. Denis était trop ennuyeux, assommant et insipide pour intéresser Gadget...

Elle s'approcha d'une pierre plate à deux pas du lit de la rivière pour s'y asseoir un moment.

– ... Gadget, peut-être. Mais qu'en était-il de Louis ?

Elle s'assit lourdement.

– Est-ce que je n'ai pas employé ces mêmes adjectifs pour décrire le conseiller financier de Denis ?

Elle cessa de parler un moment mais ses pensées continuaient à se bousculer dans sa tête, l'obligeant à reprendre la parole pour tenter d'y mettre de l'ordre.

– Louis et Denis se ressemblaient-ils à certains égards ?

Julie frissonna.

– Et si moi je me suis permis d'avoir Denis comme conjoint, pourquoi est-ce que je refuse à Louis le droit de l'avoir eu comme client privilégié ?

Julie contempla la Rivière-des-Prairies qui suivait son cours doucement, assommée par ses découvertes sur Louis et sur elle-même. Seul le chant des chardonnerets venait égayer le silence. Le silence... Pourquoi Gadget s'était-il tu concernant sa maladie ? La dernière fois qu'ils s'étaient vus, c'était au début de mars. Peut-être ne savait-il même pas qu'il avait un cancer à ce moment-là ! Mais il aurait pu lui téléphoner par la suite, pour lui annoncer la nouvelle. Pas vraiment ! Ce n'était pas dans sa nature. Elle voyait mal Gadget lui donner un coup de fil pour l'aviser qu'il allait mourir. Comment aurait-elle réagi ? En se bouchant les oreilles pour éviter de faire face à la réalité qui n'avait plus rien à voir avec la vie pétillante et insouciante des deux collégiens de jadis ? En devenant son infirmière privée, effaçant à jamais la légèreté de leur relation amicale si jalousement préservée ? Soudain, un immense sentiment de reconnaissance envers Gadget submergea Julie. En se taisant, il avait respecté leur pacte et maintenu jusqu'au dernier moment l'illusion de la pérennité des sentiments et des êtres.

Julie ramassa quelques cailloux qu'elle lança dans la rivière avec l'intention de les faire ricocher le plus loin possible. Peine perdue. Ils calèrent tous sans exception avant d'avoir réussi le moindre rebond. Elle eut une vision fugace qui la fit rire : les pédalos de Denis faisant naufrage dès leur mise à l'eau. Comme il avait été odieux avec elle. Aucune délicatesse, aucune empathie face à son désarroi et à sa peine. Si elle avait le pardon facile pour Gadget, elle se sentait intraitable à l'égard de Denis. Peut-être n'avait-il pas la sensibilité requise pour comprendre les sentiments qui labouraient l'âme de Julie, mais ce n'était pas son problème à elle. Du moins, elle ferait en sorte que ce ne le soit plus. Tant d'événements désagréables lui revenaient en mémoire, tant de propos désobligeants. Elle l'avait toujours excusé, refusant de remettre en question leur relation. Ce qui venait de se produire ne pourrait être oublié. De part et d'autre. L'orgueil de Denis ne s'accommoderait jamais de cette gifle reçue en public. Quant à Julie, elle ne lui pardonnerait pas d'avoir pillé le trésor qu'elle avait couvé avec attention... et déraison. Mais cela ne regardait qu'elle.

Julie prit le temps de regarder le soleil qui se mirait dans la rivière, épousant les sinuosités de l'onde. L'eau suivait son cours et le soleil l'accompagnait. Elle finit par prendre le chemin du retour. Croisant une cabine téléphonique, elle y pénétra sans hésitation. Elle referma la porte, déposa une pièce et composa un numéro. Elle n'entendit sonner qu'une seule fois avant qu'on ne décroche à l'autre bout de la ligne. Lorsqu'elle ressortit, satisfaite, elle marcha d'un bon pas jusqu'à sa voiture. Le chemin du retour prit des allures *gagaësques*. Virages et dépassements serrés, pied pesant, volant nerveux entre des mains expertes... Cette conduite sportive la mena en un temps record devant le condo où elle habitait. Elle escalada les marches extérieures en toute hâte et déverrouilla la porte d'entrée. Elle s'apprêtait machinalement à ramasser le courrier dans la boîte aux lettres avant de refermer derrière elle, mais se retint brusquement. Pourquoi se donner la peine de recueillir des factures dont elle n'était plus responsable ? Les rituels du quotidien n'ont plus leur place quand on se prépare à poser un geste extraordinaire.

Elle ferma la porte, les mains libres, monta à l'appartement en courant, s'élança dans la chambre et empoigna sa valise. Elle y vida ses tiroirs, anxieuse à l'idée de voir arriver Denis. Elle fit ensuite irruption dans la salle de bain et rafla tous ses produits de toilette. Elle les lança pêle-mêle dans la valise qu'elle réussit à boucler après quelques minutes d'acharnement. Elle descendit l'escalier, traînant avec difficulté son chargement lourd et encombrant.

Une fois la valise installée dans le coffre de sa voiture, Julie attaqua à nouveau les marches où elle rencontra Benoît et Anne qui les descendaient lentement.

– Qu'est-ce qui se passe ? demanda Anne qui sentait la fébrilité de sa voisine.

– Je quitte Denis.

– Es-tu certaine de ce que tu fais ? s'enquit Benoît dont les souvenirs douloureux de séparation refaisaient surface. Ce n'est pas un peu rapide comme décision ?

– Rapide ? Ça fait des mois que ça mijote ! Aujourd'hui, je m'en rends compte : je n'ai plus de temps à perdre.

Elle les salua en reprenant son ascension.

– On peut t'aider ? demanda Anne avec sincérité.

Julie hésita, se retourna vers eux et dit, sourire aux lèvres :

– Placard de la chambre. Mes vêtements. Sur la banquette arrière. Ce sera parfait !

Le couple s'exécuta sans autre commentaire. À peine cinq minutes plus tard, le placard était vide et l'auto remplie. Julie courut dans la cuisine pour y griffonner un mot sur un bout de papier, puis sortit aussi vite qu'elle put. Surtout ne pas affronter Denis après cette rude journée !

– Tu as quelque part où aller ?

Anne s'en faisait pour sa voisine.

– T'inquiète pas ! répondit Julie, sensible à cette marque de considération. Je viens d'appeler une amie. Elle accepte de m'héberger le temps que je me trouve un appartement.

Elle les embrassa et partit sans laisser d'adresse.

Benoît et Anne s'assirent dans l'escalier, leur envie d'aller se promener au parc Lafontaine s'étant subitement dissipée. Le déménagement en coup de vent de Julie leur avait scié les jambes, chacun pour des raisons différentes. Benoît voyait les plaies des deux divorces qu'il avait vécus s'ouvrir à nouveau. Anne, elle, s'inspirait de la détermination de Julie pour aller de l'avant dans son désir d'améliorer et de stabiliser sa vie affective. Après de longues minutes de silence, elle hasarda :

– Tu restes avec moi tout le week-end ?

– Oui.

– Et la semaine prochaine aussi ?

– Je ne sais pas.

Benoît ressentait le besoin de mettre la pédale douce avec Anne car la peur de l'échec amoureux le poursuivait. Il ajouta cependant pour atténuer l'impact de sa réponse :

– Il y a beaucoup de travail qui m'attend.

– Et tout le monde sait que lorsque beaucoup de travail nous attend, on ne peut pas aller dormir chez son amie ! dit-elle, railleuse et quelque peu rassurée.

Elle passa sa main dans les cheveux de son copain, l'embrassa sur la joue, puis lui chuchota à l'oreille :

– Aujourd'hui, tu mets l'accent sur le *lentement* de *on se hâte lentement* ?

Il fit signe que oui en souriant timidement.

– OK pour moi. Ton rythme sera le mien.

Benoît la regarda, étonné. L'inquiétude commençant à se dissiper, il chercha à s'expliquer.

– Voir Julie partir à la sauvette, ça...

– Ça t'a rappelé de mauvais souvenirs, je suppose.

Reconnaissant envers Anne de ne pas avoir à se justifier, heureux qu'elle eut compris son tiraillement intérieur, Benoît put enfin se détendre.

– Et si on allait se chercher une glace ? dit-il, impatient de quitter cet escalier.

Elle acquiesça en se levant.

Après avoir léché deux boules de glace pralinée chacun, les mains collantes, les t-shirts tachés, ils revinrent sur leurs pas, complices à nouveau. Ils passèrent devant une maison où *À louer* était affiché dans une fenêtre.

– Est-ce que je t'ai mentionné que mon propriétaire va m'évincer de mon appartement l'été prochain pour y loger sa fille ? mentionna nonchalamment Benoît.

– Tu t'es bien gardé de me le dire ! lança Anne en riant franchement. Comptes-tu habiter dans le même quartier ? ajouta-t-elle, sans arrière-pensée.

– Je ne sais pas trop, dit-il, le regard en coin. Oscar et moi avions pensé au Plateau, non loin du parc Lafontaine...

– Ton poisson Oscar peut penser ? Ce monstre ? dit Anne qui venait de comprendre que le balancier était revenu à *on se hâte.*

– Ce monstre, comme tu dis, est peut-être laid, encore que..., mais il est très intelligent.

– C'est lui qui a eu l'idée de déménager sur le Plateau, près du parc Lafontaine ? demanda Anne en prenant le bras que son compagnon lui offrait.

– Heu... Un trait de génie commun ! renchérit Benoît en serrant la main de son amie.

Ils rirent tous les deux.

– Commençons par le week-end ! lança Benoît.

– Il s'annonce beau, ajouta Anne, dégagée.

– Profitons-en ! conclut Benoît, d'humeur joyeuse.

* *
*

Denis, assis dans le *lounge* du Ritz devant un scotch, en était à l'étape de relever la tête après l'humiliation de la gifle reçue en présence de dizaines de personnes. Particulièrement en présence de Deschênes, le patron de la firme de comptables, et de sa femme Laurence. Entouré de luxe et de gens d'affaires prospères, il avait l'impression de renaître à la vie. Sa vie. Celle pour laquelle il était fait. Il était un membre à part entière de cette communauté sélecte. Il en avait pour preuve ces personnes qui l'avaient salué en entrant, des entrepreneurs avec qui il jouait au golf régulièrement et des présidents d'entreprises avec qui il transigeait. Il n'avait décidément rien à voir avec les petits bourgeois du Plateau Mont-Royal.

Après le deuxième verre d'alcool, sa décision était prise. Il louerait le condo du Plateau à prix fort et achèterait un appartement de prestige, rue Sherbrooke Ouest, là où l'argent et le pouvoir ont pignon sur rue. Pas question de demander son avis à Julie sur ce changement de cap ! Cela ne la concernait pas. Si elle voulait le suivre, tant mieux. Sinon, tant pis. Il acceptait de passer l'éponge sur le camouflet du matin à condition qu'elle file doux et qu'elle s'adapte parfaitement au moule qu'il venait de façonner dans son esprit. Par ailleurs, le caractère bouillant que Julie avait démontré si brutalement n'était pas pour lui déplaire. Mâter une pouliche rétive faisait partie de ses loisirs préférés. Les bonnes pensées qu'il avait eues à son égard depuis vingt-quatre heures, et sa magnanimité envers elle face à cette gifle inopportune, ne devaient cependant pas le faire dévier de sa route, longue et prospère. Pour arriver à ses fins, il devrait s'associer à des gens qui voient grand, comme lui. Des visionnaires qui savent miser sur le bon cheval. Louis décédé, il était temps de trouver une firme de conseillers de calibre supérieur.

Denis commanda un troisième scotch, le regard altier, la main experte dans l'art d'exiger d'autrui qu'on le serve. Ce n'est pas lui qu'on aurait surnommé Gadget ! Sa stature n'inspirait pas ce genre de familiarité puérile et sa personnalité ne pourrait en aucun cas prêter le flanc à ce type de raillerie. Il en était persuadé. De cela et de la nécessité pour Julie de voir la réalité en face. Il n'était pas mécontent qu'elle ait découvert qui était vraiment son Gadget. Ça lui mettrait du plomb dans la tête. Dans l'aile, dirait Julie. Mais elle se trompait, évidemment !

Que Louis ne soit pas mort d'une crise cardiaque n'était pas pour lui déplaire non plus. Comme si, du coup, le risque de subir lui-même ce genre d'attaque disparaissait de son champ de vision. Quant au cancer, ce n'était pas pour lui. Le travail et l'ambition agissaient comme d'indestructibles boucliers protecteurs. Les rendez-vous pour une batterie de tests pourraient donc attendre. Seule la rencontre avec son médecin de famille suffirait afin d'obtenir une ordonnance de Viagra. Il éviterait ainsi d'éventuels désagréments lors de ses ébats amoureux, en cas de fatigue excessive ou de stress.

Il finit son verre, alla serrer quelques mains, puis sortit de l'hôtel, ragaillardi. Le soleil brillait. Un soleil puissant, omnipotent. Un gagnant ! Comme les aimait Denis. Il s'empressa de rentrer chez lui pour mettre en branle les projets qu'il venait d'échafauder. Il ramassa le courrier, grimpa les marches quatre à quatre pour se retrouver enfin sur son palier, essoufflé et mécontent de l'être. Chose certaine, son nouvel appartement serait dans un immeuble pourvu d'au moins un ascenseur. Fini les escaliers de guingois de petit pauvre riche !

Il entra dans l'appartement en triant rapidement le courrier. Une lettre retint son attention. Elle provenait de son bureau de comptables. « Tiens ! se dit-il, ils font déjà de la sollicitation pour que je sois pris en charge par un autre professionnel. » À la fois étonné et fier de l'importance qu'on daignait enfin lui accorder, il ajouta d'une façon qui laissait présumer qu'il serait peut-être prêt à reconsidérer sa décision de changer de bureau : « Quelle célérité tout de même ! » En route vers la cuisine, il s'apprêtait à ouvrir la lettre lorsqu'il se fit la réflexion que l'adresse était inscrite à la main.

– Qu'est-ce que c'est que ce bureau brouillon ? Ça fait pas sérieux ! marmonna-t-il, à nouveau prêt à se trouver une autre firme.

Il commença à déchirer l'enveloppe en ronchonnant mais s'arrêta sec lorsqu'il constata qu'elle ne lui était pas adressée. Julie en était la destinataire. Elle ne faisait pourtant pas affaire avec ce bureau ! Ni avec aucun autre d'ailleurs. Une petite infirmière, ça peut préparer ses déclarations de revenus toute seule. Alors, comment se faisait-il qu'elle rec...? Louis ! C'était forcément une lettre que Louis, son Gadget, lui avait écrite.

Denis frissonna en déposant l'enveloppe sur la table de la cuisine. Qu'une personne écrive une lettre qu'une autre recevra et lira après son décès l'indisposait. Comme si un fantôme vous contactait, comme s'il venait s'immiscer dans votre vie alors que ça ne le regarde plus. Chacun à sa place et l'univers sera bien gardé : les morts avec les morts et les vivants avec les vivants.

Une note posée sur la table interrompit ses réflexions sur la bonne marche du monde. « Encore un mot de Julie pour m'aviser qu'elle est de garde à l'hôpital, se dit-il, de plus en plus ennuyé par ces messages quotidiens assommants. Je vais lui trouver du travail au bureau. Les heures seront décentes, ce qui la rendra disponible pour les rencontres d'affaires où les conjointes sont invitées. Peu importe que ça lui plaise pas. Quand on fraye avec des gens importants, il faut se plier à certaines exigences. Et puis, il est temps qu'elle apprenne à se vêtir convenablement. »

Satisfait de cette nouvelle idée, il ramassa la note avec désinvolture et la lit à haute voix :

Je suis chez une amie.

« Tiens, c'est nouveau ça ! D'habitude ses mots n'ont de rapport qu'avec le travail. »

Il poursuivit, irrité.

Je ne rentrerai pas ce soir.

« Ah bon ! Ce n'est pas son genre... », se dit-il, à la fois étonné et quelque peu inquiet. Il s'assit et poursuivit sa lecture.

Ni aucun autre soir.

« Comment cela ? » Interloqué, Denis relut ce bout de phrase avant de se rendre jusqu'à la fin.

Je te quitte. Ainsi tu jouiras seul de ta propriété et de toutes les factures qui viennent avec.

Denis, immobile, ne pouvait croire que Julie puisse le quitter. Ce n'était pas dans sa nature de prendre une telle décision. Il se leva et se rendit rapidement dans la chambre, la note à la main, au bout de son bras tendu. Lorsqu'il vit le placard vide, il la relut. Alors, il crut à ce qu'il venait de lire. Soufflé par cette nouvelle, il s'étendit sur le lit. Son cœur s'emballait comme lorsqu'il faisait l'amour. À une exception près, toutefois ; ce n'était pas lui qui montait aux barricades mais les barricades qui s'abattaient sur lui. Plus douloureux comme situation ! En fait, ce qui lui faisait mal, c'était moins le fait qu'il se retrouve seul que le fait que Julie l'ait largué. Comment une femme aussi douce, aussi malléable, avait-elle pu quitter un homme de sa trempe ! Quelque chose n'allait pas bien chez elle. Peut-être avait-elle trop honte de ses agissements et craignait-elle que Denis ne puisse lui pardonner. Ou bien, elle avait été prise d'un accès de folie. La gifle qu'il avait d'abord perçue comme une marque de caractère n'était qu'une première manifestation de cette démence. Et maintenant, cette désertion ridicule !

Il mit une demi-heure pour encaisser le coup. Pas une minute de plus. Pas une de moins. Lorsqu'il se releva, le cœur battant à un rythme régulier, les sueurs évaporées, il avait tourné cette défaite en occasion d'affaires. Il décréta d'un air quasi victorieux :

– Elle n'était pas pour moi, cette fille. Elle voyait trop petit. Il me faut une femme ambitieuse, qui a du panache. Comme moi !

Voilà qui était parler !

Pour se prouver qu'il tenait bien en main les rênes de sa vie, qu'il en dominait chacune des facettes, Denis téléphona sur-le-champ à son agent immobilier, celui-là même que Louis lui avait conseillé quelques années auparavant.

– Monsieur Chaumette, nous n'aurons aucune difficulté à louer votre condominium à un prix fort intéressant, dit monsieur Henri, ravi de cet appel. Pour ce qui est des appartements du *standing* que vous recherchez, j'en aurais déjà quelques-uns à vous faire visiter. Je pourrais vous rencontrer chez vous ce soir même, si vous le désirez, proposa-t-il en parcourant rapidement sa liste de logements de luxe.

Denis accepta avec enthousiasme, puis raccrocha. Plus aux commandes de son existence que jamais, il se rendit d'un pas assuré dans la cuisine et, d'un geste grandiloquent, jeta dans le bac à recyclage la lettre adressée à Julie en s'écriant :

– Madame n'habite plus ici. »

Mais il se ravisa presque aussitôt. Il récupéra prestement l'enveloppe, ouvrit la poubelle et la balança dedans d'un mouvement de poignet désinvolte.

– Voilà ce que j'en fais de ton foutu recyclage, Julie.

Il ramassa ses clés déposées sur le comptoir et sortit de l'appartement pour aller acheter de la bière, au cas où son agent immobilier la préférerait à son scotch d'importation privée. Il dévala les premières marches, descendit plus lentement les suivantes et s'arrêta enfin sur l'avant-dernière, pris d'un soudain remords envers son comptable. Ce dernier avait toujours été loyal et l'avait parfaitement bien conseillé. Louis avait selon toute vraisemblance écrit une lettre à Julie : Denis pouvait-il se permettre de la jeter ainsi ? Fort de ce questionnement, il fit demi-tour pour s'arrêter à nouveau quelques marches plus haut. Julie, elle, ne méritait pas la moindre considération. Son comportement était puéril et dépourvu de toute civilité. Alors, que faire ? Soudain, son visage s'illumina. Il gravit les marches, revint dans la cuisine et sortit la lettre de la poubelle en prenant soin d'enlever un morceau de fromage qui y avait adhéré. Il prit un stylo, biffa l'adresse inscrite sur l'enveloppe et écrivit en lettres majuscules : DÉMÉNAGÉE. RETOURNER À L'EXPÉDITEUR. Puis il fourgua la lettre dans son veston et sortit, satisfait.

* *
*

En revenant à la maison après les funérailles, Yvon aurait eu besoin d'un cadre chaleureux et d'un confort plus traditionnel. En lieu et place, il avait retrouvé son immense pièce aux divisions esquissées, davantage faite pour s'éclater que pour s'emmitoufler. Cette dichotomie entre ce qu'il possédait et ce qu'il désirait ne lui était pas inconnue ; qu'elle soit devenue insupportable, ça c'était nouveau. Aussi insupportable que son nœud papillon qu'il avait dénoué dans la voiture, sur le chemin du retour.

Depuis sa retraite, Yvon portait presque toujours des vêtements chics décontractés, extrêmement confortables. Alors, chaque fois qu'il se fringuait, par exemple pour aller dans un resto huppé ou au concert, il se sentait engoncé, ce qui ne l'empêchait pas d'apprécier l'élégance de sa tenue. Au salon funéraire, il s'était permis des vêtements *relax*. Pas aux funérailles. Par respect pour son fils décédé. Pour Michel et sa famille aussi. Et pour tous ceux qui s'étaient déplacés en ce vendredi d'été en voulant rendre un dernier hommage au défunt. Il avait revêtu son complet gris, du même gris que ses yeux, une chemise rose tendre pour atténuer l'austérité de sa mise, et son nœud papillon préféré, le gris au *paisley* rose. Il tenait absolument à porter un nœud papillon en l'honneur de Louis. Ce dernier lui avait déjà dit qu'il aimait le style intello que cela lui donnait. En l'honneur de sa femme également, de qui il se sentait de plus en plus proche depuis le décès de leur fils. « J'aime ton allure de lord anglais », lui disait-elle en redressant le nœud, souvent récalcitrant. Certainement pas en l'honneur d'Isabelle, cependant. Elle lui avait déjà dit que c'était « original », d'une façon qui laissait sous-entendre qu'elle n'appréciait pas vraiment. La moue avec laquelle elle avait prononcé ce mot et la condescendance dans son ton indiquaient même qu'elle trouvait cela carrément pépère. Mais Yvon n'en avait cure en cette journée de funérailles. Il ne pouvait plus prétendre être autre chose que lui-même.

Avant de réintégrer son loft, il avait pris le courrier dans son casier postal situé près de la porte d'entrée de l'édifice où il habitait. Comme à l'habitude. « Qu'aurait-il fallu pour que j'oublie d'accomplir mon petit rituel quotidien ? se demanda-t-il en appuyant sur le bouton d'ascenseur. Qu'une bombe me pète en plein visage ? » Les portes s'ouvrirent. Yvon salua son voisin de palier qui sortait et appuya sur le tableau. Une main tenait son nœud pendouillant, l'autre était occupée à ne pas laisser tomber les lettres par terre. « Mais une bombe m'a pété en plein visage. Et je ramasse quand même mon courrier ! » déplora-t-il, découragé de découvrir à quel point il était un homme d'habitudes.

Avant, c'était toujours Madeleine qui prenait le courrier. Elle le triait, puis déposait les lettres qui le concernaient sur la table du bureau. À son cabinet de dentiste, c'était Pierrette, sa secrétaire, réceptionniste et parfois même assistante, qui s'occupait de cette tâche. Combien de fois, l'air de rien, avait-elle déposé sur le plateau de la chaise du dentiste une enveloppe lilas, rose ou bleu poudre au parfum discret de femme, sur laquelle était inscrit : *personnel*. Sa désinvolture sentait la réprobation à plein nez. C'est que Pierrette aimait beaucoup la femme de son patron ; elle voyait donc d'un très mauvais œil ses incartades. Yvon, imperturbable, prenait l'enveloppe dans ses mains sous le regard furtif de sa secrétaire, puis il fermait la porte de son cabinet. Il s'allongeait ensuite dans la chaise réservée aux patients en souriant, s'amusant chaque fois du comportement de Pierrette. Puis, il décachetait doucement l'enveloppe et retirait lentement les feuillets noircis de la belle écriture de son amoureuse : Madeleine. Il se délectait des mots doux que sa femme lui faisait parvenir, anticipant avec plaisir le moment où il lui décrirait les mimiques de Pierrette, outrée, mais cherchant à le camoufler.

Arrivé chez lui, Yvon déposa son nœud et le courrier sur une table à café du séjour avant d'aller enfiler un pantalon de lin taupe et un t-shirt blanc. Puis, il s'assit dans le fauteuil de cuir dans lequel sa femme adorait se pelotonner pour contempler le feu de l'âtre, le seul meuble qu'il avait conservé de son autre vie, incapable qu'il était de s'en départir. Il eut soudain un urgent besoin de se plonger dans le regard de Madeleine. Il fit un tour d'horizon de cette immense pièce béante qu'était son appartement, sachant d'ores et déjà que sa femme n'y était représentée nulle part. Il avait fait exprès, en décorant son loft, de ne rien laisser transparaître de sa vie passée. Malgré tout, il avait soigneusement rangé des photos de Madeleine dans une boîte à chaussures au fond de son placard, un classique chez les Lefrançois.

Il se leva prestement et courut fouiller dans sa boîte à souvenirs. Il y redécouvrit une très jolie photo de sa femme, debout dans la serre, occupée à nettoyer le feuillage d'un camélia aux fleurs blanches somptueuses. Elle s'était retournée et regardait l'objectif, l'œil allumé, le sourire rayonnant. Yvon se noya dans son regard franc et foncièrement joyeux. Puis, rasséréné, il emporta la photo dans le séjour à la manière d'un croyant nouant son scapulaire autour du cou : avec dévotion et d'infinies précautions.

Il s'assit dans le fauteuil de Madeleine et installa délicatement sa photo contre un vase déposé au milieu de la table à café située devant lui. Il déplaça le courrier pour que son regard ne soit sollicité par rien d'autre que sa femme, heureuse. C'est à ce moment-là qu'il vit l'enveloppe crème à l'en-tête de Deschênes & associés et à l'adresse manuscrite avec la même calligraphie élégante que celle de Madeleine. Il comprit tout de suite que Louis lui avait écrit. Cette conclusion s'imposait à son esprit, sans le moindre doute, sans la plus petite parcelle d'hésitation. Il savait. C'est tout.

De belles grosses larmes rondes, brillantes, presque joviales, se détachèrent de ses cils pour aller se répandre sur ses joues plissées par un sourire reconnaissant. Louis avait pensé à son père avant de mourir. Plus encore, il avait voulu lui parler une dernière fois. Peu importe ce qu'il aurait à lui dire, les reproches qu'il aurait à lui faire... Yvon saurait encaisser les blâmes, prendre la responsabilité des blessures qu'il avait infligées. Les sentiments de Louis à son égard ne lui faisaient pas peur. Seul le silence de son fils le terrifiait. Louis, dans un élan de générosité et d'amour, allait briser ce silence. Yvon boirait ses paroles avec humilité et délectation. Qu'elles aient un goût de fiel, qu'elles aient un goût de miel, il n'en avait cure. Son fils lui parlait et il l'écouterait.

Yvon plaça l'enveloppe contre la photo de Madeleine. Il ne l'ouvrirait pas tout de suite. Tant qu'elle serait cachetée, tant que l'ultime parole ne serait pas prononcée, Louis serait encore vivant. Ce n'est qu'à la lecture du dernier mot de la dernière phrase que son fils rendrait vraiment l'âme. Il se passerait sûrement des jours, des semaines, peut-être même des mois avant qu'il n'accepte de le voir mourir définitivement. Entre-temps, il patienterait, fébrile, savourant cette attente comme le ferait un amoureux repoussant le moment d'écouter le message de sa douce sur sa boîte vocale, s'enivrant déjà des mots qu'il imagine avec toute sa passion et sa fougue. Yvon était amoureux de son fils. L'ardente patience lui serait douce.

Il lui tardait pourtant d'écouter ce que Louis avait à lui dire, de connaître le fond de sa pensée. Le saurait-il vraiment ? Son fils lui en dévoilerait certains aspects, certes, mais combien de sentiments resteraient cachés pour toujours ? La façon de mourir n'est qu'une suite logique de la vie qu'on a menée : Louis n'avait jamais été un livre ouvert. Il n'y avait aucune raison pour que cela ait changé en quelques mois. Yvon ne lui en voulait pas. C'était ainsi. Il le constatait, c'est tout. Par contre, ce que le fils taisait, le père s'efforcerait de le découvrir à travers les gens qui l'avaient connu. Yvon était dorénavant convaincu que Louis était bien plus que la vision obtuse qu'il en avait. Bien plus que la vision biaisée que son fils avait de lui-même. Il lui faudrait donc mettre bout à bout toutes les perceptions de ceux qui l'avaient côtoyé pour en obtenir une image plus globale, bien que toujours partielle. Et s'il menait à bien cette enquête, peut-être irait-il à sa propre rencontre.

Yvon irait voir Julie à l'hôpital pour en savoir plus long sur ce Gadget qu'il avait déjà commencé à aimer. Il parlerait aussi à son petit-fils qui en savait plus long sur Louis que Michel, Nancy et lui-même réunis. Il communiquerait également avec les collègues de son fils pour connaître cet homme de valeur, apprécié dans son milieu de travail. Enfin, il entrerait en contact avec Anne. Son garçon devait être un chic type pour qu'une femme aussi belle et sympathique soit devenue son amie.

Et Isabelle... Il l'avait vue comme une femme magnifique ayant subi les rebuffades d'un fils intransigeant, d'un perdant dans sa vie amoureuse comme au travail. Sa vision des choses avait changé lors des funérailles. Isabelle demeurait une personne remarquable mais son aura de pauvre victime avait disparu, emportant dans son sillage l'image de sauveur qu'il s'était fabriquée. Quant à Louis, il lui découvrait des allures de gagnant ayant refusé de devenir ce qu'il n'était pas, et ce malgré l'immense perte qui en découlerait à coup sûr.

Comment dénouer cet écheveau avec Isabelle ? Yvon avait l'intuition que plus il déferait de nœuds et moins il tisserait de liens amoureux avec elle. Comme s'il avait cherché sans le savoir à se rapprocher de son fils en s'éprenant d'elle et que maintenant qu'il atteignait son but, la présence d'Isabelle n'avait plus sa raison d'être. Devrait-il creuser plus loin pour sauver son couple ? Il faut choisir ses combats. Celui-ci faisait-il partie de ses choix ?

Yvon caressa du regard la photo de sa femme. Puis la lettre de son fils. Leur présence semblait incongrue dans ce loft froid, désespérément vaste, dépourvu même de l'empreinte de son propriétaire. Avant longtemps, il lui faudrait appeler Luc Henri, l'agent immobilier que lui avait référé son garçon lorsqu'il s'était mis à la recherche d'un appartement à Montréal. Louis et Madeleine ne sauraient attendre trop longtemps pour occuper enfin une demeure chaleureuse, assez belle pour y loger tous les souvenirs qu'Yvon venait de se réapproprier.

* *
*

« Merde ! »

Isabelle venait de mettre le pied sur son courrier. Comme d'habitude ! « Quelle invention stupide », maugréa-t-elle en regardant d'un œil méchant la fente ménagée dans la porte permettant au facteur d'y glisser la correspondance. Bien sûr, elle aurait pu changer de porte et installer une boîte aux lettres, mais ces améliorations auraient occasionné des dépenses supplémentaires pour une maison déjà beaucoup trop onéreuse à son goût. En fait, elle préférait râler. Cela lui permettait d'alimenter sa haine envers un mode de vie qu'elle exécrait de plus en plus.

Elle ramassa sa correspondance sans y porter attention et la lança sur la commode de sa grand-mère, seul meuble récupéré lors de sa séparation d'avec Louis. Toutes les lettres allèrent se péter la gueule sur le dessus en marbre blanc nervuré de noir de la commode, à l'exception d'une enveloppe crème qui s'arc-bouta sur le mur contre lequel le meuble était appuyé. En chêne avec ses quatre grands tiroirs et ses larges pattes de basset entre lesquelles les moutons venaient s'agglutiner comme s'ils rentraient à la bergerie, cette commode était à l'évidence beaucoup trop massive pour une entrée. Isabelle s'en satisfaisait pourtant car elle la trouvait fonctionnelle. Au lieu d'entasser pêle-mêle foulards, gants, bérets et parapluies télescopiques sur la tablette du placard, elle rangeait bien soigneusement ces effets dans les tiroirs si logeables. Le dessus en marbre s'avérait également idéal pour y déposer clés, courrier et autres trucs remplissant indûment ses poches de manteau. D'autant plus que la minuscule crédence, située sur le mur d'en face, pouvait à peine recevoir le téléphone, un petit bloc-notes et un stylo.

Isabelle se dirigeait vers sa chambre pour se délester de cette robe puant l'encens lorsqu'elle remarqua le voyant rouge qui clignotait sur l'appareil téléphonique. Sans doute un message de son agence de voyages... « Ne pouvaient-ils pas s'arranger sans elle pour une fois ? » pensa-t-elle, déjà excédée à l'idée d'éteindre des feux qui auraient très bien pu être contenus par du personnel un tantinet débrouillard.

« Le sauvetage devra attendre », se dit-elle en marchant résolument vers sa chambre avant de s'arrêter net. Et si c'était Yvon ? Elle fit volte-face et approcha la main du téléphone bien qu'elle n'eut aucune envie de parler à son amant. Les funérailles l'avaient secouée et elle ne rêvait que de silence et de solitude. Elle composa tout de même le code donnant accès à sa boîte vocale.

« Bonjour, madame Isabelle. »

– Ah non, pas encore lui ! murmura-t-elle, à deux doigts d'effacer le message.

« Luc Henri à l'appareil. »

– Oui, je le sais, dit-elle à voix haute, déjà agacée par le ton sirupeux de l'agent immobilier.

Pourquoi avait-il fallu que cet homme, un descendant en droite ligne de la chenille à poils, ait décidé de la flirter dès qu'elle avait fait appel à ses services, au moment de sa séparation ? Comment avait-il pu croire un seul instant qu'elle serait intéressée ! Et que dire de sa façon mielleuse et faussement intimiste de l'appeler *madame Isabelle*. Cela l'énervait au plus haut point, en plus de la mettre mal à l'aise.

Il est vrai que le marché regorgeait d'agents, mais Luc Henri était particulièrement compétent. C'est lui qui avait déniché la jolie maison d'Ahuntsic où Isabelle et Louis avaient vécu plusieurs années. Le superbe loft d'Yvon, c'était lui aussi. Pour ce qui est de l'aberration de Greenfield Park, il n'y était pour rien. Il l'avait même mise en garde contre cet achat impulsif. À cette époque, elle n'était prête à écouter personne. Elle lui avait avoué son erreur quelques mois plus tard lorsqu'il l'avait appelée afin de savoir si elle était satisfaite de son achat.

> *« Je crois que je viens de trouver une demeure faite sur mesure pour vous. »*

Isabelle tendit l'oreille. Ce que disait Luc Henri l'intéressait. Pour une fois ! Depuis l'aveu de sa bévue, il l'appelait aux trois mois pour lui proposer ses services à nouveau. Dans un même souffle, il l'invitait systématiquement à prendre un café dans un bistro afin de cerner ses besoins réels au chapitre du logement, offre qu'elle refusait non moins invariablement.

> *« Un client vient tout juste de m'appeler pour louer son appartement de la rue Boyer, sur le Plateau Mont-Royal. Ce condo est superbe ! Une location d'un an avec option d'achat vous intéresserait-elle, madame Isabelle ? »*

Cela faisait longtemps qu'Isabelle tergiversait ! Pourtant, elle désirait ardemment revenir à Montréal. En plus, le Plateau l'attirait beaucoup. Cet appel était-il un signe du destin ?

> *« Appelez-moi si vous êtes intéressée. Le client est pressé de déménager. »*

Elle prit rapidement le récepteur et appuya sur la touche *recomposition*, avant de raccrocher tout aussi vite. La confusion la plus totale régnait dans l'esprit d'Isabelle. L'amas d'incertitudes et de questionnements qu'elle traînait depuis des années s'abattait sur elle comme une nuée de sauterelles sur un champ de maïs, ne laissant après son passage que des trognons d'énergie et de lucidité. Que voulait-elle vraiment ? Être heureuse. Déménager lui permettrait-il d'y arriver ?

Se sentant tout à coup affreusement lasse, elle se dirigea vers le séjour – ses jambes refusaient de la soutenir davantage –, accrochant la commode au passage. L'enveloppe à l'en-tête de Deschênes & associés vacilla dangereusement, mais réussit tout de même à rester à flot, entre le mur et le meuble. Isabelle s'échoua sur le canapé, sans égard au froissement inévitable de sa robe de soie bleue. Elle passa la main dans ses cheveux blonds bouclés par l'humidité. L'avenir nécessitait son attention de toute urgence et la seule chose qu'elle parvenait à faire était de fixer le plafond. Comme si une solution allait miraculeusement tomber du ciel et atterrir dans ses mains !

L'impasse était totale : elle avait quitté Louis pour fonder une famille et pourtant, trois ans plus tard, aucun cri de bambin ne résonnait encore dans la maison. Que voulait-elle maintenant, à quarante et un ans ? Souhaitait-elle vraiment être enceinte à cet âge ? Était-il nécessaire qu'un homme partage sa vie pour élever un enfant ? Et que devenait Yvon dans tout ça ?

Yvon... le père de Louis, ce mari qu'elle avait aimé follement pendant des années... Était-elle vraiment l'objet de la peine d'amour insurmontable de son ex, comme l'avait sous-entendu Anne aux funérailles ? Bien sûr, Isabelle s'était sentie soulagée d'apprendre que Louis ne s'était pas suicidé à cause de la relation qu'elle entretenait avec son père. Mais cela ne pouvait faire taire la culpabilité qui s'était frayé un chemin en elle. Ostensiblement. Une explication avec Louis s'imposait. Là se trouvait la clé de sa paix intérieure. Isabelle avait besoin, atrocement besoin de connaître les sentiments de son ex face à leur séparation, à leur divorce, à sa relation avec son père. Elle aurait tout donné à cet instant pour que Louis lui parle... de Louis. Il lui fallait absolument boucler la boucle pour être capable d'avancer à nouveau. Mais jamais, jamais, elle ne le pourrait !

Isabelle se leva précipitamment, éperdue de douleur, cherchant une issue dans ce séjour qui ne lui renvoyait que l'image d'une femme emmurée dans son passé. Elle s'enfuit de la pièce comme l'aurait fait une prisonnière de sa cellule et courut s'enterrer dans sa chambre, heurtant une fois de plus au passage la commode décidément trop grosse. L'enveloppe crème de Deschênes & associés adressée de la main de Louis se souleva, frissonna tragiquement, puis coula à pic derrière le meuble, irrémédiablement dissimulée aux regards humains.

* *
*

Deux heures du matin. La nuit était douce. La rue, paisible. La lune, épanouie. Anne, appuyée contre la balustrade du balcon, jouissait du froufroutement du vent batifolant dans les feuilles de l'immense tremble s'élevant devant la maison. Le nez fiché dans la chemise vert pomme de Benoît enfilée juste avant de sortir, elle se soûlait de son odeur à la fois raffinée et brute.

Lui dormait béatement dans la chambre. Elle boudait le sommeil. Anne avait besoin du sas de la nuit, silencieux, étanche, sécuritaire, pour assurer un passage harmonieux entre les deux univers qu'elle chevauchait depuis une semaine. Dans le bassin de l'écluse où elle se tenait, une porte se fermait lentement derrière elle. L'autre, devant, s'ouvrirait ensuite pour lui permettre de poursuivre sa route.

Pendant quelques années, Louis avait fait partie de sa vie. Au cours des derniers mois, il en avait même été le centre. Depuis quelques jours, il prenait toute la place : ses dernières heures, son dernier souffle, son dernier rendez-vous en tête-à-tête avec lui au salon funéraire, leur ultime rencontre aux funérailles... Son agonie et même sa mort étaient encore des gestes accomplis par une personne vivante.

Ces actes avaient des effets tangibles dans l'existence, la sienne comme celle des autres. Même les conséquences aussi définitives que l'urne et les funérailles résultaient de la manifestation de Louis dans le monde des vivants.

« La difficulté ne réside pas dans la mort, se dit Anne, à la fois calme et lucide. C'est l'absence qui pose problème. » Dorénavant, Louis serait absent de sa vie. Les doux rituels qu'ils avaient créés ne seraient plus. Les moments qu'ils auraient dû partager dans le futur ne seraient pas. Était-ce cela, mourir à petit feu ?

Le tremble frissonna. Anne eut la chair de poule. Puis, le froissement des feuilles se transforma en douce musique. L'arbre gazouillait comme un ruisseau heureux, babillait comme un enfant joyeux, riait comme un ami ravi, exactement du même rire qui illuminait Louis pendant leurs concours de balançoires. En cette nuit d'été, en cette nuit d'absence, Anne voyait cet arbre comme s'il eut été Louis lui-même. Un arbre immense au tronc solide, arborant un cœur gravé dans sa chair. Un arbre aux branches multiples, tendant ses rameaux comme des bras accueillants. Anne s'était lovée dans un de ses innombrables embranchements, quelque part entre le bistro où ils avaient fait connaissance et la balançoire où ils s'étaient séparés. Sa famille, ses amis, ses collègues, ses clients s'étaient nichés à des croisements différents, là où les branches pointaient dans une autre direction. Chacun d'eux avait cru le peindre correctement sur le canevas de leur vie, convaincus que leur position privilégiée dans la frondaison leur assurait une vision entière de l'arbre, mais ils n'avaient qu'une pauvre esquisse entre les mains. Une description sommaire et réductrice d'un arbre majestueux au feuillage vigoureux à certains endroits, rougeoyant à d'autres, aux branches à la fois fortes et faibles, noueuses ou cassées, au tronc à l'écorce parfois arrachée, souvent lacérée, jamais lisse.

Anne descendit lentement de l'arbre, quittant pour toujours l'embranchement préféré. Comment prendre la mesure d'un arbre si on n'y met pas la distance nécessaire ! De retour dans le sas, elle s'étonna que la porte arrière de l'écluse ne soit pas encore close. En l'examinant attentivement, elle vit quelque chose qui semblait faire obstruction au mécanisme de fermeture : un bout d'enveloppe coincé entre les mâchoires de sa boîte aux lettres. Avec cette journée mouvementée, elle n'avait pas songé à prendre son courrier. Elle tendit la main et extirpa une enveloppe crème à l'en-tête de Deschênes & associés.

Ses mains devinrent moites tandis que son cœur s'emballait. Cette lettre... Elle faisait certainement partie du paquet ficelé qu'elle avait elle-même mis à la poste à la demande de son ami, le jour de son décès. Louis lui avait dit qu'il s'agissait de correspondance à l'intention de sa famille. Elle n'avait pas un seul instant soupçonné l'existence de cette lettre dans le lot !

Anne s'assit dans l'escalier, soufflée et profondément émue. Elle déchira l'enveloppe promptement. Louis réclamait à nouveau son attention et elle était toute disposée à la lui accorder. Pour une dernière fois. Elle déplia les feuillets, les yeux secs, le cœur en nage.

> *Ma très chère Anne,*
>
> *Puisque tu me lis en ce moment, c'est que je suis mort. Enfin, je peux te parler !*

Anne écouta attentivement chacune des paroles que lui murmurait lentement son ami. Il était question d'amitié, de bonheur, de vie. Jamais de mort, de souffrance ou de drame. Lorsque Louis se tut, elle entendit un bruit sec derrière elle : c'était la porte du sas qui venait de se fermer, hermétiquement. Elle se leva, mit la lettre dans la poche de la chemise vert pomme de son amant et se dirigea vers la porte de son appartement qui s'ouvrit au moment où elle allait tourner la poignée. Benoît apparut, les cheveux en broussaille, l'œil endormi, le sourire chiffonné. La vie pouvait reprendre son cours.

Épilogue

Denis emménagea dans un appartement huppé de Westmount, cinq semaines après le décès de son conseiller financier. Trois mois plus tard, il y installait un *canon* de vingt ans sa cadette, une spécialiste en relations publiques doublée d'une virtuose dans l'art de l'esbroufe.

Après deux ans de travail acharné et de réceptions ruineuses, Denis réussit à faire une percée chez l'oncle Sam. Son premier pédalo en sol américain fut mis à l'eau à Burlington, sur le lac Champlain. Le dévoilement se déroula dans la plus pure tradition américaine. Un petit orchestre avec banjo et clarinette jouait sur la grève tandis que de la crème glacée Ben & Jerry's était servie gratuitement dans des barquettes de plastique en forme de pédalos ; glace au chocolat dans un flotteur, à la vanille dans l'autre et, enfin, glace à la fraise dans la partie centrale.

Denis monta dans son embarcation tel un roi dans son carrosse, puis il pédala vigoureusement afin de montrer l'efficacité de sa roue à pales. À bonne distance de la rive, il se leva, couvert de sueur, et fit un discours pompeux dans un mégaphone de piètre qualité. Il conclut son interminable laïus en citant le slogan qu'il affectionnait particulièrement, traduit pour l'occasion dans la langue de Shakespeare : *Denis Chaumette is so confident in his pedal-boats, he refuses to learn to swim in order to prove it !* Joignant l'action à la parole, il enleva son gilet de flottaison et le jeta dans l'eau. C'est ce moment précis que choisit un plaisancier pour pousser à fond le moteur de son bateau, provoquant de grosses vagues à quelques mètres de l'embarcation de l'entrepreneur. Le pédalo tangua à tel point que Denis perdit l'équilibre et bascula par-dessus bord. Il se noya en moins d'une minute sous le regard médusé de la foule qui n'arrivait pas à comprendre cette façon *french canadian* de faire un coup de publicité.

* *
*

Julie dénicha un petit appartement sympa dans le quartier Rosemont, quinze jours après avoir quitté Denis. Elle remplit son frigo d'aliments bio, fit provision de vêtements hétéroclites aux couleurs inusitées et invita régulièrement ses amis chez elle pour le brunch, le souper et même pour le thé.

Elle ne reçut jamais la lettre que Louis lui avait écrite. Mais il s'en fallut de peu ! La théorie des six degrés de séparation fut à deux doigts de lui être favorable. Ce jour-là, Julie était de garde à l'urgence. C'était un lundi après-midi, aux environs de quatorze heures, deux ans après le décès de Gadget. Un homme y fut admis, un monsieur Deschênes, souffrant d'un malaise cardiaque. Son épouse, une avocate prénommée Laurence, venait de lui annoncer qu'elle le quittait pour un juge. Ce dernier s'était amouraché du tatouage ornant l'épaule de la jeune femme et avait réussi à faire pencher la balance de son bord. Normal ! La justice a non seulement le bras long mais aussi la main pesante.

Gilles Deschênes reconnut immédiatement l'infirmière à son chevet. Il s'agissait de l'hystérique qui avait fait des siennes aux funérailles de Louis Lefrançois, son collègue et employé. Lorsqu'il baissa les yeux pour lire le nom épinglé sur l'uniforme de la jeune femme, il vira au gris. La semaine précédente, il avait jeté une lettre qui lui était adressée, vraisemblablement par Louis, et qu'il avait oubliée au fond d'un tiroir deux ans plus tôt. Le destin s'était peut-être surpassé en manigançant cette rencontre mais le moins qu'on puisse dire c'est que son déphasage bousilla le résultat final, un peu comme des phrases mal synchronisées gâchent l'écoute d'un film doublé.

Lorsque Julie quitta l'hôpital ce jour-là, elle ne fut absolument pas consciente du tour que venait de lui jouer le hasard. Et si elle l'avait su, elle ne s'en serait pas formalisée. C'est que Julie pensait à autre chose : aller retrouver son amoureux, à son travail. Il aurait probablement la tête sous le capot d'une voiture sport, une Mustang ou quelque autre bolide du même acabit, en train d'en régler consciencieusement le moteur. Les mécaniciens sont toujours gagas des voitures qu'ils bichonnent !

* *
*

Michel, enfermé dans sa chambre, lut la lettre de Louis sept semaines après l'avoir reçue. Nancy, qui l'avait entendu verrouiller la porte, puis fouiller dans le placard, s'était tapie dans le séjour, appréhendant les réactions de son mari. Il sortit de la pièce une demi-heure plus tard, la boîte à chaussures sous le bras, le regard vitreux. Lorsqu'il aperçut sa femme, il s'arrêta un moment. Il ouvrit la bouche comme pour lui parler, puis la referma aussitôt. Il se dirigea ensuite vers la porte d'entrée. À la question : « Qu'est-ce que tu fais ? » posée avec un remarquable trémolo dans la voix par Nancy, il répondit laconiquement :

– Je vais me louer un coffret de sûreté à la banque.

Elle rougit. Il sourit. Puis il tourna les talons et sortit de la maison. À son retour, les mains vides, il suspendit sur le mur de sa chambre, juste au-dessus de sa table de chevet, une clé. Une clé longue et étroite. La clé qui donnait accès à son coffret de sûreté. Il ne révéla jamais le nom ni l'emplacement de la banque, pas plus que le contenu de la lettre de Louis. Jamais, à aucun moment, il ne passa quelque commentaire que ce soit sur les agissements honteux de son épouse.

Trois ans plus tard, Stéphane quitta la maison pour partager un appartement avec des amis inscrits aux HEC avec lui. Michel, qui s'était rapproché de son fils, l'encouragea dans ses démarches. Il l'aida même à transporter ses quelques affaires dans le camion loué pour le déménagement. Les toutes dernières choses que Michel sortit de la maison, sous le regard sidéré de sa femme, furent une grosse valise remplie à ras bord – sa valise – ainsi que la clé du coffret de sûreté qu'il avait suspendue à son cou avec une ficelle. Il ne remit plus jamais les pieds dans cette maison. Peu de temps après, il vendit sa pharmacie de Laval et se fit embaucher dans un Jean Coutu de Montréal. Il travailla à salaire à raison de vingt heures par semaine. Le reste du temps, il le consacra à une petite ligue de soccer dont il était devenu l'entraîneur officiel.

Nancy, folle de douleur après le départ de son fils et de son mari, se tapa une dépression nerveuse qui lui fit le plus grand bien. Elle perdit quinze kilos, vingt grammes de maquillage sur le visage, un centimètre d'ongles rouges et toute la couleur orang-outan de ses cheveux. En prime, elle gagna beaucoup d'estime d'elle-même. Une fois remise en selle, elle reprit le travail, cinq kilos, trois grammes de maquillage, un demi centimètre d'ongles roses et des cheveux blond cendré. Elle devint la championne toutes catégories dans la vente d'immeubles résidentiels. Jamais plus elle ne vécut avec quelqu'un. Les soirs de grande solitude, elle allait fouiller dans une boîte à chaussures qu'elle cachait pour la forme dans son placard, sous un vieux chandail. Elle l'ouvrait délicatement et en contemplait le contenu : des photos de Stéphane, une mèche des cheveux aubergine qu'il portait à l'adolescence et une clé. Le double de la clé du coffret de sûreté de Michel qu'elle avait apportée chez le serrurier une semaine après qu'il l'eut suspendue au mur. Grâce à cette clé, elle se berçait de l'illusion de pouvoir partager un peu avec lui ses secrets les plus intimes, enfouis dans une boîte à chaussures, quelque part dans une banque obscure.

* *
*

Le couple formé par Yvon et Isabelle mourut neuf semaines à peine après que Louis fut devenu un fantôme bien portant. À ce point bien portant qu'il réussit à s'immiscer dans leur relation, sciemment ou de façon involontaire, ces deux possibilités demeurant à jamais dans le domaine de la plus pure spéculation. Mais peu importe la réalité, le résultat restait le même : les amants se quittèrent, d'un commun accord.

Yvon consacra les trois mois qui suivirent à pister son fils. Pour ce faire, il rencontra toutes les personnes susceptibles de lui permettre de cerner de plus près sa personnalité. Il parla peu, écouta beaucoup, pleura quelques fois, rit très souvent.

Au bout du compte, il découvrit un garçon ressemblant étrangement au gamin qu'il faisait sauter sur ses genoux trente-cinq ans auparavant.

Il vendit son loft en janvier de l'année suivante et emménagea dans un appartement situé à quelques encablures de son bateau, amarré dans le Vieux-Port. Il se sentit immédiatement chez lui dans son quatre pièces luxueux et douillet, profitant abondamment de la piscine et de la salle d'exercice situées dans son immeuble. Deux semaines après son arrivée, c'était un mardi après-midi, il s'assit dans le fauteuil qu'affectionnait Madeleine et lut enfin la lettre que Louis lui avait écrite. Il faisait tempête dehors. Dans son cœur aussi. Son âme, elle, se tenait tranquille. Seuls des mots d'amour s'échappèrent des feuillets qu'Yvon tenait serrés entre ses doigts. Des mots à la musicalité apaisante pour ce père en manque de son fils. Lorsqu'il referma la lettre, la musique se transforma en une expiration brève, un bruissement à peine perceptible chatouillant l'oreille : le dernier souffle de Louis. À moins que ce ne fut le vent qui sifflait dans les arbres...

En mai, Yvon fit la connaissance d'une veuve de son âge résidant dans le même immeuble que lui. Il tomba d'abord amoureux de sa tarte à la noix de coco. Puis, de sa collection d'animaux miniatures en cristal. Lorsqu'il trouva charmants les rideaux hideux de son séjour – de petites roses, sur fond beige fade –, il sut qu'il était amoureux de Jacqueline. En juillet, il l'emmena en bateau sur le canal de Lachine. À la première écluse, il lui demanda gentiment, sourire en coin, de bien vouloir s'asseoir sur le capot, en avant, pour l'aider dans ses manœuvres. Elle accepta aussitôt, les yeux brillants, la lèvre palpitante. C'est ainsi qu'ils traversèrent le sas, Yvon admirant sa belle aux cheveux d'argent, Jacqueline frissonnant de plaisir et de fierté.

* *
*

Isabelle ne rappela jamais Luc Henri. Pourquoi se jeter encore tête baissée dans un déménagement qui, elle en était dorénavant convaincue, ne la rendrait pas heureuse. Il lui fallait d'abord redéfinir sa vie. Elle ne savait pas encore en quoi cela consisterait mais une chose était certaine : Yvon n'en ferait plus partie. Avec lui, il y avait eu maldonne. Il fallait trouver le courage de jeter les cartes et de tout recommencer avec un autre jeu.

Son travail demeurait un aspect positif de son existence. De cela aussi elle était persuadée. Forte de cette constatation, elle mit les bouchées doubles pour assurer une expansion rentable de son agence de voyages. Toutes les heures passées dans son entreprise au cours des deux années suivantes trouvèrent leur juste récompense. Les clients affluèrent, lui assurant prospérité et renommée.

Ce qu'Isabelle n'avait pu trancher, le temps se chargea de le faire à sa place. À quarante-trois ans, seule, plus question de fonder une famille ! Cet état de fait, inconcevable quelques années auparavant, s'était transformé en fatalité assumée. La paix de l'âme pouvait enfin s'installer. Mais c'était sans compter sur la vie qui ne cesse de provoquer les humains satisfaits de leur sort.

Par un beau samedi de février, Isabelle reçut à l'agence un homme d'environ trente-cinq ans, accompagné de ses triplés n'ayant guère plus de quatre ans. Trois belles petites frimousses blondes – deux garçons, une fille –, l'œil espiègle, le rire contagieux. L'homme en question, un dénommé Patrick Patenaude, voulait quatre billets d'avion pour Cuba. Il ajouta que la mère de ses bambins était morte en leur donnant naissance. Était-ce parce qu'Isabelle parut étonnée que la maman ne soit pas du voyage ? Ou plutôt parce qu'il lançait une perche à une femme qu'il trouvait terriblement séduisante ?

On n'en sait rien. Et on s'en fout ! Ce qui compte, c'est le dénouement de l'histoire. Patrick eut le coup de foudre pour Isabelle. Elle, pour les triplés. Six mois plus tard, elle partit vivre chez lui, à l'Île-des-Sœurs. C'est en déménageant la commode de sa grand-mère qu'elle trouva la lettre de Louis, échouée sur un lit de moutons endormis. Elle s'assit dans la bergerie et lut avec fébrilité et beaucoup d'émotion les derniers mots de son ex-mari.

> *Je t'aime. Voilà pourquoi je souhaite que tu réalises ton rêve. Peu m'importe qui sera le père de tes enfants, pourvu que tu sois mère.*

* *
*

Anne et Benoît cohabitèrent ensemble l'année suivant le décès de Louis. Ils ne formèrent un couple que quinze mois plus tard. Pendant cet intervalle, Anne eut deux rechutes : des aventures sans lendemain ayant pour but de se prouver à elle-même qu'elle était libre.

Benoît, lui, ferma les yeux à la première – c'est qu'il l'aimait sa gitane – mais prit la parole à la seconde. Il préférait souffrir terriblement une seule fois en la laissant, que souffrir mille fois en poursuivant leur relation dans ces conditions. Elle devait choisir son camp. La balance pencha du côté de Benoît. C'est qu'elle l'aimait, son ami fidèle !

À partir de ce moment, elle choisit en toute liberté, jour après jour, de lier son destin à celui de son ami. Il fit de même. Aux dernières nouvelles, ils vivaient encore ensemble.

* *
*

Quant à Louis, il continue de déployer sa frondaison quelque part dans un parc ombragé, accueillant avec générosité et beaucoup de plaisir les oiseaux, les enfants et toutes les balançoires que les gens veulent bien suspendre à l'une de ses branches.

MEMBRE DU GROUPE SCABRINI

Québec, Canada
2007

Imprimé sur du papier 100% recyclé